Éditeur : COBRA
18/22, rue des Poissonniers
92200 Neuilly-sur-Seine
RCS Nanterre 333 761 377

Crédits photographiques
Couverture : photo principale Bagros/Sucré Salé ; vignette h : Desgrieux/Sucré Salé ; vignette c : Norris/Sucré Salé ; vignette b : Lawton/Sucré Salé ; rabat h : Leprêtre/Sucré Salé ; rabat hc : Hussenot/Sucré Salé ; rabat bc : Bichon/Sucré Salé ; rabat b : Garcia/ Sucré Salé.

P. 3h, 14, 43 : Desgrieux/Sucré Salé ; p. 3c : Norris/Sucré Salé ; p. 3b : Lawton/Sucré Salé ; p. 31 : Mahut/Sucré Salé ; p. 5hd, 93cd : Murtin/Sucré Salé ; p. 5bg, 63hg, 63cd : Taillard/Sucré Salé ; p. 6 : Leprêtre/Sucré Salé ; p. 7, 8, 36, 41hg, 64 : Marielle/ Sucré Salé ; p. 9, 37, 45, 50, 87 : Rivière/Sucré Salé ; p. 48hg, 73, 83, 86, 89 : Riou/Sucré Salé ; p. 11, 90 : Hammond/Sucré Salé ; p. 12 : Finley/StockFood/Studio X ; p. 13hg : Bialy/StockFood/Studio X ; p. 84hg : Ryman/Sucré Salé ; p. 15 : Dwernicki/ Sucré Salé ; p. 16, 72, 85hg, 85cd, 88 : Garcia/Sucré Salé ; p. 17 : Wieder/Sucré Salé ; p. 18, 65 : Radvaner/Sucré Salé ; p. 19, 24, 55, 91 : Viel/Sucré Salé ; p. 20hg, 27hg : Amiel/Sucré Salé ; p. 21hg, 35 : Veigas/Sucré Salé ; p. 21cd, 22, 41cd, 42 : Hussenot/Sucré Salé ; p. 23 : Hall/Sucré Salé ; p. 25 : Schardt/StockFood/Studio X ; p. 26, 49hg : Food & Drink/Sucré Salé ; p. 28, 40 : Bilic/Sucré Salé ; p. 29 : Tesson/StockFood/Studio X ; p. 30 : Fénot/Sucré Salé ; p. 32, 56, 80, 92 : Bagros/Sucré Salé ; p. 33hg, 62hg : Leser/Sucré Salé ; p. 34, 47 : Nicoloso/Sucré Salé ; p. 38 : Ginet-Drin/Sucré Salé ; p. 39 : Garlick/StockFood/ Studio X ; p. 44 : Brunet/Sucré Salé ; p. 4, 46, 48cd : Cabannes/Sucré Salé ; p. 51, 69 : Thys/Supperdelux/Sucré Salé ; p. 53 : Nurra/Sucré Salé ; p. 57, 70, 71 : Fondacci/Markezana/Sucré Salé ; p. 58, 81 : Roulier/Turiot/Sucré Salé ; p. 59 : Schmalhorst/ Sucré Salé ; p. 60, 62cd, 66 : Bichon/Sucré Salé ; p. 61 : Wieder/Sucré Salé ; p. 67 : Grablewski/StockFood/Studio X ; p. 74 : Asset/Sucré Salé ; p. 75hg : Chassenet/Sucré Salé ; p. 76 : Darqué/Sucré Salé ; p. 77 : Czap/Sucré Salé ; p. 79 : Vaillant/Sucré Salé ; p. 82, 84cd : Sirois/Sucré Salé ; p. 93hg : Sudres/Sucré Salé ; p. 94 : Eising/Sucré Salé.

Conception graphique, réalisation : MediaSarbacane
Rédaction : Yann Leclerc, Françoise Zimmer

Imprimé par CAYFOSA
Ctra de Caldes, km 3
08130 Sta Perpetua de Mogada
Barcelone (Espagne)

Achevé d'imprimer : mai 2011
Dépôt légal : juin 2011
ISBN : 978-2-8152-0249-7

mes **recettes** de Décembre

Sommaire du mois de Décembre

Entrées

Plats

accompagnements

desserts

Coquilles Saint-Jacques fondantes à l'émulsion de champagne

Une recette pour recevoir et faire plaisir, avec des saint-jacques incroyablement moelleuses à cœur.

Délicat | Pour **4 personnes** | Préparation **25 min** | Cuisson **10 min**

Ingrédients

- 12 belles coquilles Saint-Jacques
- 1 c. à s. d'huile d'olive
- 15 cl de champagne brut
- 6 cl de crème liquide
- 2 c. à c. d'œufs de saumon
- Quelques brins d'aneth
- Sel, poivre blanc, poivre noir du moulin

1. Ouvrez les coquilles Saint-Jacques, prélevez les noix et éventuellement les coraux. Conservez les 4 plus belles coquilles et nettoyez-les avec soin.

2. Préchauffez le four à 180 °C (th. 6). Faites chauffer l'huile d'olive dans une poêle à feu assez vif. Mettez-y les noix de saint-jacques salées et poivrées à dorer 1 min de chaque côté.

3. Répartissez les noix de saint-jacques dans les 4 coquilles réservées, puis déposez sur une plaque et enfournez pour 4 min.

4. Pendant ce temps, versez le champagne dans une petite casserole. Portez à frémissements et ajoutez la crème liquide. Salez et poivrez au poivre blanc. Laissez frémir encore 2 min, puis retirez du feu.

5. Sortez les coquilles du four et déposez-les dans les assiettes, sur un lit de gros sel. Laissez-les légèrement tiédir le temps de finaliser la sauce.

6. Mixez longuement la sauce au champagne avec un mixeur plongeant pour bien l'émulsionner, puis répartissez sur les coquilles. Ajoutez les œufs de saumon et décorez d'aneth. Donnez un tour de moulin à poivre noir avant de servir.

« Fragiles, les noix de saint-jacques demandent une cuisson rapide ; 1 à 2 minutes de chaque côté sont amplement suffisantes. »

Cornets de saumon en mousse d'avocat

Foisonnée à la crème fouettée, la mousse d'avocat se marie joliment à la saveur du saumon fumé.

Facile | Pour **6 personnes** | Préparation **15 min** | Sans cuisson | Réfrigération **2 h**

Ingrédients

- 2 avocats bien mûrs
- Le jus de 1 citron
- 1 pincée de piment de Cayenne
- 1 pincée de paprika
- 15 cl de crème liquide très froide
- 9 tranches de saumon fumé
- 2 c. à c. d'œufs de saumon
- Quelques brins d'aneth, pour décorer
- Sel, poivre

1. Coupez les avocats en deux et dénoyautez-les. Mettez-les dans le bol d'un mixeur avec le jus de citron, le piment, le paprika, du sel et du poivre. Actionnez jusqu'à obtention d'une consistance homogène.

2. Fouettez la crème liquide, puis incorporez-la. Réservez au moins 2 h au réfrigérateur.

3. Coupez les tranches de saumon fumé en deux, puis roulez-les délicatement en petits cornets. Garnissez-les de mousse d'avocat à l'aide d'une poche munie d'une douille cannelée. Parsemez d'œufs de saumon et décorez d'aneth. Réservez au frais jusqu'au moment de servir.

Millefeuilles croustillants crabe-avocat

Servez sans attendre cette entrée délicate pour ne pas laisser les carrés de brick perdre leur croustillant.

Délicat | Pour **4 personnes** | Préparation **25 min** | Réfrigération **1 h** | Cuisson **3 min**

Ingrédients

- 2 avocats bien mûrs
- Le jus de 1 citron vert + 1 citron vert pour décorer
- 2 c. à s. de crème fraîche épaisse
- 1 pincée de quatre-épices
- 9 feuilles de brick
- 60 g de beurre fondu
- 1 petite boîte de miettes de crabe au naturel égouttées
- 4 c. à c. d'œufs de saumon
- Quelques brins d'aneth
- Sel, poivre

1. Coupez les avocats en deux et dénoyautez-les. Mettez-les dans le bol d'un mixeur avec le jus de citron vert, la crème fraîche, le quatre-épices, du sel et du poivre. Actionnez jusqu'à obtention d'une consistance homogène. Réservez ce guacamole 1 h au réfrigérateur.

2. Découpez chaque feuille de brick en 4 carrés de 8 cm de côté environ. Badigeonnez-les de beurre fondu au pinceau, déposez-les sur une plaque et enfournez pour 2 à 3 min : les feuilles de brick doivent juste dorer. Laissez-les refroidir hors du four.

3. Montez 4 millefeuilles : superposez 3 carrés de brick, ajoutez une couche de guacamole et des miettes de crabe, surmontez de 3 carrés de brick, nappez de nouveau de guacamole et de miettes de crabe et terminez en posant 3 carrés de brick, parsemés d'œufs de saumon et décorés d'aneth. Servez aussitôt.

Os à moelle à la campagnarde

Tartinée sur le pain grillé, la moelle fond délicieusement dans la bouche… Un régal pour les gourmets !

Facile | Pour **4 personnes** | Préparation **20 min** | Cuisson **40 min**

Ingrédients

- 1 bouquet garni
- 1 oignon jaune piqué de 2 clous de girofle
- 8 os à moelle de même calibre
- 2 bouquets de persil plat
- 1 oignon blanc
- 1 oignon rouge
- 1 c. à s. de vinaigre de cidre
- 1 c. à c. de moutarde forte
- 3 c. à s. d'huile de tournesol
- ½ baguette à l'ancienne
- Sel, fleur de sel, poivre du moulin

1. Dans une grande casserole, portez 2 l d'eau salée à frémissements avec le bouquet garni et l'oignon clouté. Salez les os à moelle, puis ajoutez-les. Laissez frémir 40 min environ à feu moyen : la moelle doit être bombée.

2. Pendant ce temps, lavez et essorez le persil. Supprimez-en les plus grosses tiges. Pelez les deux oignons, émincez le blanc et coupez le rouge en rondelles fines, puis séparez-les en anneaux.

3. Dans un saladier, mélangez le vinaigre avec la moutarde, du sel et du poivre, puis émulsionnez avec l'huile en fouettant. Ajoutez le persil et les deux oignons. Mélangez bien.

4. Coupez la ½ baguette en deux, puis recoupez chaque moitié en deux dans la longueur. Faites griller chaque morceau au grille-pain.

5. Prélevez délicatement les os à l'écumoire. Servez-les aussitôt, la moelle parsemée de fleur de sel et poivrée, avec le pain grillé et la salade au persil.

L'os à moelle

L'os à moelle n'a pas toujours très bonne **réputation**, et il a même été banni de nos assiettes au moment de la crise de la vache folle. Mais il reste un monument de la gastronomie française, indispensable au **pot-au-feu**, au bœuf gros sel ou, avec du jarret de veau, à l'**osso-buco** (dont le nom signifie littéralement « os à bouche »). On peut également le faire cuire seul, soit **bouilli** soit au four, simplement déposé dans un plat et enfourné pour 40 min à 180 °C (th. 6). Pour éviter que la moelle se perde dans le bouillon au cours de la cuisson, saupoudrez-la d'un peu de **gros sel** et… ne remuez pas frénétiquement ! C'est cuit au four qu'il est le plus calorique, car il garde alors tous ses lipides : comptez **600 kcal aux 100 g** ! À consommer avec modération, donc…

Salade de betteraves, orange et noix

Coupez les betteraves en très fines lamelles, pour qu'elles s'imprègnent des saveurs de la vinaigrette.

Facile | Pour **4 personnes** | Préparation **25 min** | Macération **30 min** | Cuisson **2 min**

Ingrédients
- 1 orange non traitée
- 1 c. à s. de vinaigre de xérès
- 2 c. à s. d'huile de noix
- 1 c. à s. d'huile de tournesol
- 2 petites betteraves rouges cuites
- 2 échalotes émincées
- 1 barquette de mâche
- 40 g de cerneaux de noix grossièrement concassés
- Sel, poivre

1. Prélevez le zeste de l'orange avec un canneleur. Faites-les blanchir 2 min à l'eau bouillante salée, puis égouttez-les. Pelez l'orange à vif et prélevez ses quartiers en passant une lame de couteau entre la pulpe et les membranes.

2. Récupérez le jus de l'orange. Mélangez-le dans un bol avec le vinaigre de xérès, du sel et du poivre, puis émulsionnez avec les deux huiles.

3. Coupez les betteraves rouges en fines lamelles. Mettez-les dans une jatte avec les échalotes émincées. Arrosez de la vinaigrette préparée à l'étape 2 et laissez macérer 30 min au réfrigérateur.

4. Répartissez les betteraves dans les assiettes, puis ajoutez la mâche, les quartiers d'orange et les noix. Décorez du zeste d'orange et servez aussitôt.

La betterave

Légume-racine souffrant d'une réputation d'aliment « de cantine », la betterave est pourtant un ingrédient à la **chair fine et délicate**, très savoureuse, que les plus grands chefs se sont réappropriés depuis quelques années, l'apprêtant de toutes les manières, souvent très **créatives** : sorbet, mousse, chips, gelée, écume… **Déjà cuite,** elle est **vendue sous vide** au rayon frais, prête à intégrer les salades et autres crudités. Mais vous trouverez également des betteraves crues, sur les marchés, pendant tout l'hiver. Vous pourrez les **cuire à l'eau** (privilégiez l'autocuiseur), mais aussi **au four** : vous allez redécouvrir un légume que vous pensiez connaître, et vous ne serez pas déçu ! La racine crue est le légume traditionnel d'**Europe de l'Est**, notamment la Hongrie, la Pologne ou la Russie (où il est indissociable du fameux **bortsch**). Une autre variété de betterave, dite sucrière, fournit le sucre blanc, après raffinement. Les jeunes **feuilles de betterave**, joliment ourlées de rouge, apportent au **mesclun** une agréable touche corsée.

Conseils pratiques

• ACHAT

Pour les betteraves crues, préférez-les de petite taille, car les grosses risquent d'être filandreuses et moins tendres. Elles doivent posséder une peau lisse, quasiment pas fripée, bien pourpre sous l'inévitable couche terreuse.

• CONSERVATION

Les betteraves crues se conservent bien, comme les pommes de terre, à l'abri de la lumière et de l'humidité, dans un endroit frais. Stérilisées, les betteraves crues, vendues sous vide, se conservent jusqu'à deux mois au frais. Surveillez bien la date limite de consommation.

• PRÉPARATION

Qu'elles soient cuites ou crues (une fois émincées), les betteraves tachent les doigts ! Idéalement, portez des gants ou manipulez-les à travers un sac de congélation.

• CUISSON

Les betteraves crues, non pelées, se cuisent longuement à l'eau frémissante, salée et légèrement vinaigrée : comptez au moins 1 h 30 de cuisson. Leur meilleure cuisson : au four ! Enveloppez chacune d'elles d'une feuille de papier d'aluminium et enfournez à 180 °C (th. 6) pour 1 h. Vous préserverez ainsi au maximum leur texture fondante.

Le + nutrition

La betterave contient de nombreuses vitamines, mais pensez que la stérilisation des betteraves cuites et vendues sous vide les en a quasiment privées… Peu calorique pour un légume-racine, elle contient des sucres simples (saccharose), mais leur assimilation par l'organisme est freinée par ses fibres.

Pour 100 g
> 41 kcal
> Glucides : 8 g dont sucres simples : 7,5 g
> Fibres : 2,5 g
> Vitamine C : 4,5 mg
> Vitamine B9 : 38 µg

Huîtres gratinées à la crème safranée

Subtil mariage de saveurs entre les savoureuses huîtres et l'une des épices les plus prestigieuses du monde...

Délicat | Pour **4 personnes** | Préparation **25 min** | Cuisson **3 min**

Ingrédients

- 15 cl de crème liquide
- 1 capsule de filaments de safran
- 12 huîtres spéciales n° 1
- Gros sel, poivre blanc

1. Versez la crème liquide dans une petite casserole. Portez à frémissements et retirez du feu. Ajoutez les filaments de safran, poivrez légèrement et laissez infuser 10 min.

2. Pendant ce temps, ouvrez les huîtres, jetez la première eau et laissez reposer 15 min. Puis filtrez leur eau et ajoutez-la à la crème. Faites de nouveau chauffer à feu doux, pour faire légèrement réduire.

3. Préchauffez le four à 240 °C (th. 8). Calez les huîtres sur une plaque, sur un lit de gros sel. Nappez-les chacune d'un peu de crème safranée.

4. Enfournez pour 2 à 3 min : la crème doit juste dorer. Servez aussitôt, sur un lit de gros sel.

Velouté de moules au safran

Tout en harmonie orangée, ce velouté iodé est intensément aromatisé par la chaude flaveur du safran.

Facile | Pour **1 personne** | Préparation **20 min** | Cuisson **40 min**

Ingrédients

- 1 kg de moules
- 50 g de beurre
- 2 ciboules émincées
- 2 blancs de poireaux émincés en filaments dans la longueur
- 4 tiges de céleri branche émincées
- 2 carottes coupées en rondelles
- 60 cl de bouillon de légumes
- 1 dosette + 2 pincées de filaments de safran
- 20 cl de crème liquide entière
- Le jus de ½ citron
- Sel, poivre

1. Grattez les moules sous l'eau courante. Faites chauffer le beurre dans une casserole à feu moyen. Mettez-y 1 ciboule et ¾ des poireaux et du céleri branche à revenir 5 min, en remuant.

2. Ajoutez les carottes, le bouillon, du sel et du poivre. Portez à frémissements et laissez frémir 30 min, puis mixez. Incorporez le reste du poireau et du céleri, l'autre ciboule et le safran. Laissez mijoter à feu doux le temps de cuire les moules.

3. Dans un faitout, faites ouvrir les moules à sec 5 à 7 min à feu vif et à couvert, en secouant souvent le faitout. Égouttez-les et filtrez leur jus de cuisson. Réservez quelques moules entières et décoquillez les autres.

4. Incorporez les moules et leur jus, la crème, les filaments de safran et le jus de citron au velouté. Servez très chaud.

Salade de lentilles au poivron rouge, roquette et parmesan

Préparez cette salade une petite heure à l'avance, pour laisser les lentilles s'attendrir agréablement.

Facile | Pour **4 personnes** | Préparation **25 min** | Cuisson **25 min** | Réfrigération **1 h**

Ingrédients

- 12 poivrons rouges
- 200 g de lentilles cuites du commerce, sous vide
- 1 c. à s. de vinaigre de xérès
- ½ c. à c. de moutarde
- 2 c. à s. d'huile de noix
- 2 c. à s. d'huile de tournesol
- 50 g de roquette
- 30 g de parmesan frais
- Sel, poivre

1. Préchauffez le four à 180 °C (th. 6). Enfermez chaque poivron dans une feuille de papier d'aluminium, puis déposez-les sur une plaque et enfournez pour 25 min.

2. Sortez les poivrons du four, puis placez-les dans un sac de congélation (pour créer de la condensation, qui aidera à les peler). Laissez refroidir 15 min, puis pelez-les et épépinez-les. Détaillez-les en lanières.

3. Piquez le sachet de lentilles avec la pointe d'un couteau en plusieurs endroits, malaxez-le délicatement pour bien séparer les lentilles, puis ouvrez le sachet et versez les lentilles dans un saladier.

4. Dans un bol, mélangez le vinaigre de xérès avec la moutarde, salez et poivrez. Émulsionnez avec les deux huiles, puis versez sur les lentilles et mélangez pour bien les enrober. Ajoutez les lanières de poivron et placez au moins 1 h au réfrigérateur.

5. Au moment de servir, répartissez dans les assiettes, surmontez de roquette et déposez quelques copeaux de parmesan fraîchement râpé.

« Les lentilles précuites, vendues sous vide, ont conservé leur saveur et leurs qualités nutritionnelles. Elles sont idéales pour des salades. »

Sablés au comté et aux amandes

Pour honorer vos hôtes, proposez ces craquants petits sablés parsemés de graines de pavot à l'apéritif.

Facile | Pour **20 sablés** | Préparation **20 min** | Cuisson **12 min**

Ingrédients
- 70 g de farine tamisée
  + un peu pour le plan de travail
- 30 g de poudre d'amandes
- 100 g de comté mature finement râpé
- 80 g de beurre demi-sel ramolli coupé en dés
- 1 œuf, jaune et blanc séparés
- 2 c. à s. de graines de pavot

1. Préchauffez le four à 180 °C (th. 6). Dans un saladier, mélangez la farine avec la poudre d'amandes et le comté. Incorporez le beurre, puis le jaune d'œuf, en pétrissant rapidement jusqu'à obtention d'une pâte lisse.

2. Sur le plan de travail fariné, étalez la pâte au rouleau sur 5 mm d'épaisseur. Découpez-y 20 disques de 5 à 6 cm de diamètre à l'emporte-pièce.

3. Tapissez une plaque à pâtisserie de papier sulfurisé. Déposez-y les disques de pâte côte à côte. Badigeonnez-les du blanc d'œuf au pinceau, puis parsemez-les des graines de pavot.

4. Enfournez pour 10 à 12 min, jusqu'à ce que les sablés soient légèrement dorés. Transférez-les à la spatule sur une grille et laissez refroidir.

Salade de chou au comté et aux noix

Une salade de saison qui allie le fruité du comté et des noix à la fraîche amertume du chou cru.

Facile | Pour **6 personnes** | Préparation **15 min** | Sans cuisson

Ingrédients

- 1 chou blanc très frais (600 g environ)
- 150 g de comté mature
- 60 g de cerneaux de noix grossièrement concassés
- Le jus de 1 citron
- 1 c. à c. de vinaigre balsamique
- 2 c. à c. de moutarde forte
- 3 c. à s. d'huile de noix
- 1 c. à s. d'huile de soja
- Sel, poivre

1. Coupez le chou en quatre. Lavez ses quartiers à l'eau froide, puis égouttez-les soigneusement.

2. Émincez finement les quartiers du chou au couteau en éliminant au fur et à mesure les parties dures du trognon et les grosses côtes des feuilles.

3. Coupez le comté en petits dés réguliers, puis mélangez-les dans un saladier avec le chou émincé et les noix.

4. Dans un bol, mélangez le jus de citron avec le vinaigre, la moutarde, du sel et du poivre, puis émulsionnez avec les deux huiles en fouettant. Versez sur le contenu du saladier. Mélangez bien. Servez sans trop attendre pour ne pas laisser ramollir les noix.

Le comté

Il n'est rien de moins que le **fromage français le plus vendu au monde** : il s'en produit 45 000 tonnes par an ! Protégé par une AOC depuis 1958, le comté est un fromage au lait de vache, à **pâte cuite pressée**. Emblématique de la Franche-Comté, même s'il est produit jusqu'en Haute-Savoie, il est **fabriqué uniquement au printemps et à l'été**, pour bénéficier des herbes grasses des pâturages (historiquement, le lait d'hiver servait à préparer le morbier). Il se présente en **meules circulaires au talon convexe**, pouvant peser jusqu'à 50 kg, chacune nécessitant pas moins de 450 litres de lait. Il est **longuement affiné**, cette étape étant essentielle dans ses qualités organoleptiques : quatre mois au minimum, mais au moins sept pour un excellent comté, et les comtés d'exception peuvent être affinés… trois ans ! Un fromage de cette qualité est servi simplement coupé en fines lamelles, avec un verre de **vin jaune**, pour un accord naturel simplement exceptionnel. Comme tous les fromages de sa famille, le comté est **très calorique** et riche en lipides : appréciez-le sans en abuser !

Conseils pratiques

• ACHAT

Méfiez-vous des premiers prix : un comté qui a été affiné moins de quatre mois n'est tout simplement pas un comté ! Préférez-le acheté à la coupe, car vous pourrez alors repérer la plaque de caséine présente sur le talon du fromage : verte, ce dernier a obtenu une note de dégustation supérieure à 15/20 ; brune, supérieure à 12/20.

• CONSERVATION

Conservez le comté enveloppé dans un morceau de papier sulfurisé, dans le bas du réfrigérateur. Ne le laissez jamais à température ambiante ni emballé dans du film alimentaire : il suerait, et perdrait toute sa saveur.

• ACCORDS

Cru, mariez le comté aux endives, aux noix, à la roquette ou à la frisée, mais aussi aux pommes ou à la betterave. Cuit, il s'accorde parfaitement aux pommes de terre, pour des röstis ou des gratins, mais également à la viande de veau.

• CUISSON

Un comté de bonne qualité tient bien à la cuisson, en fondant délicatement, sans perdre de son moelleux. N'hésitez pas à le glisser dans des quiches ou des feuilletés, râpé ou simplement coupé en lamelles. Quelques dés parsemés dans une soupe, au moment de servir, lui apporteront du corps.

Le + nutrition

Comptez 407 kcal aux 100 g, soit une vingtaine de calories pour une simple lamelle… Le comté est particulièrement riche en lipides, mais aussi en sel. Son taux de protéines est supérieur à celui de la plupart des viandes, et il est également très riche en calcium, en phosphore et en magnésium.

Pour 100 g
- **> 407 kcal**
- **> Protéines : 28 g**
- **> Lipides : 32,5 g**
  dont acides gras saturés : 19 g
- **> Calcium : 900 mg**
- **> Magnésium : 49 mg**

Le foie gras

Aliment d'exception, **emblématique de terroirs** exceptionnels et d'une conception parfois élitiste de la cuisine française, le foie gras s'est démocratisé depuis quelques années, du fait de productions en masse l'ayant rendu abordable. Dans le même temps, sa réputation sulfureuse, liée au **gavage des volatiles**, a quelque peu terni son image auprès du grand public. Il est traditionnellement préparé dans le **sud-ouest de la France et en Alsace**, mais ceux des grandes surfaces proviennent souvent de Bulgarie ou de Hongrie : scrutez les étiquettes ! Le **foie gras de canard**, le plus courant, présente un goût plus affirmé que celui d'oie, plus fin : chacun a ses amateurs. Ne confondez pas les différents foies gras, car sous ce nom se cachent parfois des pâtés grossiers ! Sinon, privilégiez absolument la **mention « foie gras entier »**, la seule garantissant un réel produit de qualité. On le déguste souvent avec un vin blanc moelleux (**sauternes**) ; optez sans hésiter pour un vin d'Alsace, idéalement un « vendanges tardives ».

Conseils pratiques

• FAITES LA DIFFÉRENCE

Foie gras entier : il est juste déveiné et assaisonné. Truffé, on touche à l'exceptionnel.

Foie gras : il contient au moins 35 % de morceaux, mais le reste est broyé et pressé. Moins cher… mais moins savoureux.

Bloc de foie gras : aucun morceau apparent obligatoire… Vous n'y retrouvez pas la texture du foie gras, et à peine sa saveur.

Parfait de foie gras : il ne contient plus que 75 % de foie gras, souvent complétés de foies de volaille.

Enfin, les **mousses**, **pâtés** et autres **galantines** ne peuvent prétendre à la mention de foie gras. Il s'agit d'émulsions ou de hachis de foie gras et d'autres ingrédients… Préférez un bon pâté de campagne !

• PRÉPARATION

La solution idéale est d'acheter le foie gras cru et de le faire cuire soi-même. Séparez les deux lobes et déveinez-les délicatement (ôtez les plus gros nerfs qui les sillonnent).

• CUISSON

En terrine, faites-le cuire (ou mi-cuire) au four, au bain-marie. Mais le foie gras cru est également un ingrédient exceptionnel coupé en tranches pas trop fines, poêlées dans une poêle antiadhésive à feu vif, 2 min de chaque côté. Épongez ensuite les tranches dans du papier absorbant et servez-les parsemées de poivre blanc et de fleur de sel. Ou encore sur des filets de bœuf, façon Rossini…

Le + nutrition

Le foie gras est évidemment très calorique ; c'est un produit très riche en lipides, dont une part importante d'acides gras saturés, et énormément de cholestérol. Mais c'est un aliment-plaisir, festif, qu'on consomme généralement en petites quantités : ne vous en privez pas !

Pour 100 g
- **> 515 kcal**
- **> Protéines : 7,5 g**
- **> Lipides : 53 g**
  dont acides gras saturés : 21 g
- **> Cholestérol : 1 040 mg**

Foie gras de canard en terrine

Du foie gras maison pour les fêtes ? Un rêve accessible avec cette recette toute simple et... tellement bonne !

Facile | Pour **6 personnes** | Préparation **15 min** | Marinade **12 h 30** | Cuisson **40 min** | Réfrigération **24 h**

Ingrédients

- 2 foies gras de canard crus (400 g chacun), déveinés par le boucher
- 1 c. à c. rase de quatre-épices
- 10 cl de cognac
- Sel, fleur de sel, poivre du moulin

1. Mettez les foies gras dans une jatte. Saupoudrez-les du quatre-épices, de ½ c. à s. de sel et de ½ c. à c. de poivre. Arrosez-les du cognac. Couvrez. Laissez-les mariner 12 h au réfrigérateur, en les retournant de temps en temps, puis 30 min à température ambiante.

2. Préchauffez le four à 110 °C (th. 3/4). Transférez les foies dans une terrine en les tassant du plat de la main. Couvrez. Mettez la terrine dans un récipient plus grand à bords hauts. Versez-y de l'eau très chaude jusqu'aux trois quarts de la hauteur de la terrine. Enfournez pour 40 min. Sortez la terrine du bain-marie. Laissez refroidir.

3. Retirez le couvercle de la terrine. Couvrez largement les foies de film alimentaire, puis d'une planchette lestée d'un poids de 2 kg. Réservez 12 h au réfrigérateur.

4. Enlevez le poids, la planchette et le film. Prélevez la graisse qui surmonte les foies à la cuillère. Faites-la fondre à feu doux, puis versez-la sur les foies en la filtrant au travers d'une passoire fine. Couvrez. Réservez 12 h au réfrigérateur. Servez tranché, avec de la fleur de sel et du poivre.

« L'idéal est bien sûr d'acheter un foie gras cru et de le faire cuire soi-même. Séparez les deux lobes et déveinez-les délicatement. »

Nems de foie gras au pain d'épice

Pour un amuse-bouche d'exception, servez ces délectables petits rouleaux avec de la confiture d'oignons.

Facile | Pour **4 personnes** | Préparation **20 min** | Cuisson **12 min**

Ingrédients
- 3 tranches de pain d'épice
- 240 g de foie gras cuit (voir p. 22)
- 6 feuilles de brick
- 3 c. à s. de graisse de canard
- Sel, poivre

1. Préchauffez le four à 180 °C (th. 6). Disposez les tranches de pain d'épice sur une plaque tapissée de papier sulfurisé. Enfournez pour 10 min. Laissez-les refroidir, puis mixez-les en chapelure fine.

2. Coupez le froid gras en 6 bâtonnets de même longueur. Salez et poivrez légèrement. Passez-les dans la chapelure pour bien les enrober.

3. Déposez 1 bâtonnet de foie gras sur chaque feuille de brick. Repliez le bord sur les extrémités du foie gras, puis roulez les feuilles pour former les nems.

4. Dans une poêle, faites chauffer la graisse de canard à feu vif. Mettez-y les nems à dorer 1 à 2 min, en les retournant souvent. Égouttez-les sur du papier absorbant. Servez aussitôt.

Petites brioches dorées au foie gras

Un peu longues à préparer ces petites brioches festives au foie gras ? Certes, mais quel délice !

Délicat | Pour **6 personnes** | Préparation **30 min** | Repos **3 h** | Cuisson **25 min**

Ingrédients

- 250 g de farine tamisée + 2 c. à s. pour le foie gras
- 30 g de sucre en poudre
- 9 g de levure de boulanger déshydratée
- 2 œufs entiers + 2 jaunes battus
- 100 g de beurre ramolli + 30 g pour les moules
- 4 c. à s. de lait
- 6 morceaux de foie gras cru (40 g chacun)
- 1 c. à c. de quatre-épices
- Sel, poivre du moulin

1. Mélangez 50 g de farine avec le sucre, la levure et 1 c. à s. d'eau tiède. Laissez reposer 10 min.

2. Ajoutez les œufs entiers et ½ c. à c. de sel. Incorporez peu à peu le beurre, puis 3 c. à s. d'eau, le lait et, enfin, le reste de farine. Pétrissez la pâte obtenue 5 min. Rassemblez-la en boule et mettez-la dans un saladier. Couvrez d'un linge et laissez lever 2 h à température ambiante.

3. Salez et poivrez les morceaux de foie gras. Saupoudrez-les du quatre-épices. Roulez-les dans la moitié des jaunes battus, puis dans la farine.

4. Garnissez 6 moules individuels beurrés avec la moitié de la pâte. Ajoutez le foie gras, recouvrez du reste de pâte et percez une cheminée au centre. Couvrez d'un linge et laissez reposer 1 h à température ambiante.

5. Préchauffez le four à 210 °C (th. 7). Dorez les brioches avec le reste des jaunes battus au pinceau. Enfournez pour 20 à 25 min. Servez tiède.

Blinis au saumon fumé et mascarpone

Sur les blinis tièdes, la quenelle de mascarpone offre sa fraîcheur en opposition au parfum du saumon fumé.

Facile | Pour **8 personnes** | Préparation **5 min** | Cuisson **3 min**

Ingrédients

- 8 grands blinis
- 200 g de mascarpone
- 8 fines tranches de saumon fumé
- 1 petit bocal d'œufs de saumon
- 1 citron non traité
- 1 petit bouquet de ciboulette

1. Faites chauffer les blinis au four à micro-ondes, 2 à 3 min à 50 % de sa puissance (ils doivent être juste chauds : ils seront tièdes le temps de servir). Puis déposez-les sur les assiettes.

2. Façonnez des petites quenelles de mascarpone à l'aide de deux petites cuillères et déposez-les au centre des blinis. Coupez les tranches de saumon fumé en trois, roulez-les joliment et placez-les autour de la quenelle de mascarpone.

3. Ajoutez un peu d'œufs de saumon et 1 quartier de citron. Ciselez finement la ciboulette et parsemez-en le tout. Servez aussitôt.

Le saumon fumé

Le saumon fumé est un vrai **produit de luxe,** qui se révèle onéreux et dont il est **difficile de contrôler la qualité**. Les excellents saumons fumés coûtent en effet très cher, et les plus accessibles sont rarement dignes de leur nom. C'est cependant un **aliment sain**, relativement peu calorique si l'on prend en compte le fait qu'on en mange peu ; quelques tranches suffisent pour une pleine satisfaction papillaire ! Pour la fabrication de saumon fumé, plusieurs étapes sont nécessaires : d'abord un **salage à sec**, au gros sel de mer ; puis vient le **fumage**, effectué avec une fumée de copeaux sélectionnés (hêtre, chêne, frêne…) à froid (entre 18 et 23 °C). Le fumage est l'étape qui marque réellement la qualité du produit final : il doit être lent et régulier ; les meilleurs saumons fumés restent une **quinzaine d'heures dans leur fumoir**, alors que les produits industriels sont « fumés » en quelques minutes, au contact direct d'une eau saturée de fumée. La **découpe** est ensuite manuelle ou automatisée. Servez-le avec un quartier de citron et une tombée de crème fraîche.

Conseils pratiques

• ACHAT

Si possible, faites trancher le saumon fumé devant vous, par le poissonnier : vous serez ainsi sûr de sa fraîcheur. Par ailleurs, la découpe manuelle respecte mieux la texture de la chair.

• CHOIX

Le saumon fumé doit être légèrement brillant, mais surtout pas d'aspect huileux. Sous vide, tâtez l'emballage : il ne doit pas y avoir de liquide suintant sur le poisson. La couleur n'est pas une indication de qualité, mais le bord des tranches ne doit pas être desséché ni présenter une couleur plus foncée que le centre.

• SAUVAGE OU D'ÉLEVAGE ?

Le saumon fumé sauvage est incomparable, mais il est rare et fort cher. Attention ! Les mentions « saumon d'Écosse » ou « saumon de Norvège » ne font qu'indiquer la localisation des piscicultures…

• ASTUCES

Les chutes de saumon fumé sont souvent vendues à part, mais leur prix au kilo est parfois proche, voire supérieur à celui du saumon fumé entier ! Solution moins onéreuse, achetez un filet de saumon frais et préparez un gravlax (voir p. 32 des recettes de janvier) : il remplacera votre saumon fumé… pour un prix cinq fois inférieur !

Le + nutrition

Le saumon fumé est moyennement calorique, à condition de le déguster en tranches fines et sans crème fraîche. Il est particulièrement riche en protéines, et le processus de fabrication lui permet de rester une bonne source de phosphore, de magnésium et d'oméga-3.

Pour 100 g
> 182 kcal
> Protéines : 19 g
> Lipides : 11 g
> Phosphore : 216 mg
> Magnésium : 24 mg

Pommes de terre farcies au saumon fumé

Tomates confites, persil et échalotes s'unissent au saumon fumé pour garnir ces pommes de terre apéritives.

Facile | Pour **4 personnes** | Préparation **20 min** | Cuisson **20 min**

Ingrédients

– 12 petites pommes de terre roseval
– 4 tomates confites à l'huile d'olive
– 8 tranches de saumon fumé
– 2 échalotes grises émincées
– 5 c. à s. de persil plat ciselé
– Le jus de 1 citron
– 10 cl de crème fraîche
– Paprika
– Sel, poivre

1. Lavez les pommes de terre sans les peler. Faites-les cuire 20 min environ à l'eau bouillante salée : elles doivent être cuites à cœur. Égouttez-les et laissez-les tiédir.

2. Égouttez les tomates, puis émincez-les ainsi que le saumon fumé. Dans une jatte, mélangez-les avec les échalotes, le persil, le jus de citron, du sel et du poivre.

3. Découpez une calotte sur l'un des côtés des pommes de terre. Évidez-les à la cuillère sans les percer. Écrasez leur chair à la fourchette avec la crème. Incorporez-y la moitié de la farce.

4. Répartissez la préparation précédente dans les coques de pommes de terre. Couvrez du reste de la farce. Servez parsemé de paprika.

Tartare de saumon à la coriandre

Servi en verrines, ce tartare fait la part belle aux saveurs fraîches, pour une entrée tout en raffinement.

Facile | Pour **4 personnes** | Préparation **15 min** | Sans cuisson | Réfrigération **4 h**

Ingrédients

- 250 g de filet de saumon d'élevage
- Le jus de 1 citron vert
- 4 c. à s. d'huile d'olive de bonne qualité
- 1 botte de cébettes
- 2 c. à s. de coriandre ciselée
- Sel, poivre blanc

1. Pelez le filet de saumon, ôtez les arêtes éventuelles, puis coupez-le en dés. Mettez-les dans une jatte non métallique. Salez, poivrez, puis ajoutez le jus de citron vert et la moitié de l'huile d'olive. Mélangez, couvrez de film alimentaire et réservez 2 h au réfrigérateur.

2. Émincez finement les cébettes. Répartissez-les dans 4 verrines, salez, poivrez et nappez du reste d'huile d'olive. Répartissez les dés de saumon sur le dessus et réservez encore 2 h au réfrigérateur.

3. Parsemez de coriandre ciselée avant de servir, bien frais.

Œufs à la coque truffés

La saveur et l'arôme de la truffe noire, champignon rare, sont si profonds qu'une petite quantité suffit.

Facile | Pour **4 personnes** | Préparation **10 min** | Cuisson **3 min**

Ingrédients
- 1 truffe de 30 g
- 20 g de beurre
- 1 c. à s. de crème fraîche
- 4 gros œufs extrafrais
- Sel, poivre

1. Brossez très soigneusement la truffe pour en éliminer toutes les impuretés. Découpez-y 4 lamelles très fines, puis émincez le reste. Réservez les lamelles dans une boîte hermétique.

2. Faites chauffer le beurre dans une poêle à feu moyen. Ajoutez la truffe émincée. Remuez 10 s, puis incorporez la crème. Salez et poivrez légèrement. Couvrez et réservez à feu très doux.

3. Faites cuire les œufs 3 min à l'eau bouillante. Égouttez-les et décalottez-les. Répartissez-y le contenu de la poêle à la cuillère. Mélangez rapidement, décorez des lamelles de truffe et servez aussitôt.

Velouté de topinambours à la truffe

La saveur des topinambours, qui évoque l'artichaut, est ici magnifiée par l'intensité aromatique de la truffe.

Facile | Pour **6 personnes** | Préparation **20 min** | Cuisson **35 min**

Ingrédients

- 1 kg de topinambours
- 1 l de lait
- 50 cl de crème liquide
- 250 g de très petites girolles
- 25 g de beurre
- 1 truffe de 60 g
- 4 brins de cerfeuil, pour décorer
- Sel, poivre

1. Épluchez et lavez les topinambours. Coupez-les en morceaux. Dans une casserole, portez le lait et la crème à frémissements. Ajoutez les topinambours. Salez et poivrez. Laissez frémir 30 min environ à couvert. Mixez pour velouter.

2. Nettoyez les girolles. Chauffez le beurre à feu vif dans une poêle. Mettez-y les girolles salées et poivrées à sauter 5 min environ : elles doivent avoir absorbé toute leur eau de végétation.

3. Brossez très soigneusement la truffe pour en éliminer les impuretés. Coupez-la en lamelles fines à la mandoline.

4. Réchauffez le velouté en remuant sans laisser bouillir. Incorporez les girolles et la truffe. Servez aussitôt, décoré du cerfeuil.

Parmentier truffé au foie gras

Une écrasée de pommes de terre mêlée de truffe odorante et surmontée de foie gras poêlé... Un mets somptueux !

Facile | Pour **6 personnes** | Préparation **15 min** | Cuisson **30 min**

Ingrédients

– 800 g de pommes de terre bintje
– 2 truffes noires (30 g chacune)
– 100 g de beurre demi-sel fondu
– 10 cl de lait chaud
– 18 fines tranches de foie gras cru
– 6 pluches de cerfeuil, pour décorer
– Sel, poivre

1. Lavez les pommes de terre. Faites-les cuire 25 min environ à l'eau bouillante salée. Brossez très soigneusement les truffes. Coupez-en une en fines lamelles. Hachez la seconde.

2. Préchauffez le four à 90 °C (th. 3). Égouttez et pelez les pommes de terre. Écrasez-les à la fourchette avec le beurre et le lait. Incorporez la truffe hachée et poivrez. Répartissez dans 6 ramequins. Couvrez de papier d'aluminium et réservez au chaud dans le four.

3. Salez et poivrez les tranches de foie gras. Dans une poêle antiadhésive, faites-les revenir à sec 1 min de chaque côté à feu moyen à vif. Égouttez-les sur du papier absorbant.

4. Retournez les ramequins sur 4 assiettes chaudes. Surmontez du foie gras. Décorez des lamelles de truffe et du cerfeuil. Servez aussitôt.

La truffe

Variété de **champignon** poussant dans les sols calcaires à environ 10 cm d'épaisseur, la truffe noire, de son petit nom *tuber melanosporum*, est aussi appelée **truffe du Périgord**, mais elle est en fait davantage récoltée dans le sud-est de la France, de la Drôme jusqu'au pays niçois. C'est un véritable joyau culinaire, célébré par les plus grands chefs, et qui atteint chaque année des **tarifs astronomiques** : souvent plus de 1 000 euros le kilo ! En effet, les dégradations de son terrain naturel ont effondré sa production annuelle : on en récolte aujourd'hui vingt fois moins qu'il y a un siècle ! Heureusement, il suffit d'une petite truffe (environ 25 g) pour **parfumer un plat de manière incomparable** : une simple omelette comme une poularde se trouvent métamorphosées du fait de la présence des fines lamelles noires. La truffe est **impossible à cultiver** : elle pousse en symbiose avec les racines de certains arbres (chênes verts, châtaigniers…). Elle est ramassée dès la **fin de novembre**, et sa pleine saison dure tout au long de l'hiver.

Conseils pratiques

• ACHAT

Attention, il existe de nombreuses variétés de truffes, et aucune autre n'a la saveur de la truffe noire ! La truffe de Bourgogne, moins fine, et celle du Piémont, moins parfumée, sont également savoureuses. L'Italie produit une truffe blanche, dite d'alba, particulièrement recherchée. Ne les confondez pas avec les truffes d'importation chinoises, très souvent sans saveur.

• CHOIX

On reconnaît la truffe noire à sa peau finement granuleuse et son odeur unique. Elle doit être ferme et bien renflée. Vérifiez la mention *tuber melanosporum* !

• PRÉPARATION

La truffe ne se lave pas ; elle se brosse simplement afin d'être débarrassée de la terre résiduelle, avant d'être essuyée dans un torchon. On peut ensuite soit la râper soit la couper en très fines lamelles, avec un outil adapté.

• ACCORDS

Les lamelles de truffe peuvent être glissées sous la peau d'une volaille ; elles diffuseront ainsi leur parfum dans ses chairs pendant la cuisson. Finement râpée, elle intègre les foies gras, les œufs brouillés, les risottos, les farces aux champignons ou les bouchées à la reine.

Le + nutrition

L'apport nutritionnel de la truffe noire, toujours consommée en très petites quantités du fait de son prix et de sa rareté, est secondaire… Elle a longtemps été réputée aphrodisiaque, et elle contient des quantités importantes de potassium et de phosphore, ainsi que des vitamines du groupe B.

Pour 100 g
> 85 kcal
> Protéines : 5,5 g
> Glucides : 13 g
> Potassium : 520 mg
> Phosphore : 65 mg

Médaillons de sole, sauce champagne

Une vraie recette de fête, aux saveurs délicates, à servir pour un repas aux chandelles en amoureux...

Délicat | Pour **4 personnes** | Préparation **30 min** | Trempage **1 h** | Cuisson **20 min**

Ingrédients

– 8 morilles séchées, réhydratées dans de l'eau tiède
– 2 carottes coupées en dés
– 8 filets de sole
– 20 cl de court-bouillon
– 20 cl de champagne
– 4 jaunes d'œufs
– 1 bouquet de ciboulette
– Sel, poivre du moulin

1. Rincez les morilles. Faites cuire les dés de carotte à la vapeur.

2. Roulez les filets de sole sur eux-mêmes et maintenez-les à l'aide de piques en bois. Portez le court-bouillon à frémissements, puis déposez-y les médaillons de sole. Faites-les cuire 4 min. Réservez au chaud.

3. Ajoutez le champagne et les morilles dans le jus de cuisson, puis faites réduire de moitié. Fouettez les jaunes œufs avec 2 c. à s. du mélange obtenu, puis faites chauffer au bain-marie et incorporez progressivement le reste de liquide. Laissez épaissir 2 min, en fouettant.

4. Déposez les médaillons de sole dans les assiettes et servez nappé de sauce champagne aux morilles, surmonté de dés de carotte et de ciboulette ciselée.

Aiguillettes de sole, sauce au champagne

Une recette raffinée, relevée de maniguette et de paprika, à servir avec des pommes vapeur.

Facile | Pour **4 personnes** | Préparation **20 min** | Cuisson **10 min**

Ingrédients

- 4 filets de sole (180 g chacun)
- 1 c. à s. d'huile de tournesol
- 30 g de beurre doux + 70 g de beurre demi-sel en parcelles
- 12 crevettes cuites décortiquées
- 20 cl de champagne
- 2 échalotes hachées
- 4 pincées de paprika
- 8 pincées de maniguette (poivre de Guinée) moulue
- 4 brins de persil, pour décorer
- Sel, poivre

1. Coupez les filets de sole en 5 aiguillettes chacun. Salez et poivrez. Dans une poêle, faites chauffer l'huile et le beurre doux à feu moyen. Mettez-y les aiguillettes à dorer 2 min de chaque côté. Transférez-les à l'écumoire sur un plat.

2. Réchauffez les crevettes 1 min dans la poêle, en remuant. Mettez-les dans le plat avec la sole. Couvrez et réservez au chaud sur une casserole d'eau frémissante.

3. Mettez le champagne et les échalotes dans une petite casserole. Portez à frémissements et laissez réduire 5 min. Retirez du feu, puis incorporez le beurre demi-sel en fouettant.

4. Répartissez la sauce, les aiguillettes de sole et les crevettes sur 4 assiettes chaudes. Saupoudrez de paprika et de maniguette et décorez du persil avant de servir.

Tournedos de bœuf aux poires

Dans cette recette audacieuse, les tournedos sont accompagnés de poires, de noix et de sauce au roquefort.

Facile | Pour **4 personnes** | Préparation **25 min** | Cuisson **10 min**

Ingrédients

- 1 boîte de 800 g de poires au sirop
- 90 g de beurre
- 2 échalotes très finement émincées
- 160 g de roquefort émietté
- 6 c. à s. de crème fraîche
- 1 c. à c. d'huile de tournesol
- 4 tournedos de filet de bœuf bardés de lard fumé (180 g chacun)
- 4 c. à s. de cerneaux de noix grossièrement concassés
- Quelques brins de thym
- Sel, poivre du moulin

1. Égouttez les poires en réservant le sirop. Détaillez-les en fins quartiers, puis mettez-les dans une casserole avec le sirop. Réchauffez à feu doux.

2. Faites chauffer 60 g de beurre à feu moyen. Mettez-y les échalotes à blondir 5 min. Ajoutez le roquefort et remuez. Incorporez la crème et poivrez. Portez à frémissements. Réservez à feu très doux.

3. Faites chauffer le reste de beurre et l'huile dans une poêle à feu vif. Saisissez-y les tournedos 2 à 3 min de chaque côté selon la cuisson désirée. Salez et poivrez.

4. Répartissez les poires égouttées sur 4 assiettes chaudes. Nappez-les de la sauce et poivrez. Posez les tournedos dessus. Décorez des noix et du thym.

Tournedos de bœuf Rossini au marsala

Accompagnez ces tournedos festifs de la garniture de votre choix, comme des gnocchis à la romaine.

Facile | Pour **4 personnes** | Préparation **10 min** | Cuisson **10 min**

Ingrédients

- 1 c. à s. d'huile de tournesol
- 4 tournedos dans le filet (180 g chacun)
- 60 g de beurre ramolli
- 10 cl de marsala
- 1 c. à c. de fond de veau délayé dans 10 cl d'eau
- 4 escalopes de foie gras frais (80 g chacune)
- Quelques feuilles de roquette, pour décorer
- Sel, fleur de sel, poivre du moulin

1. Faites chauffer l'huile à feu vif dans une poêle. Saisissez-y les tournedos 3 min. Retournez-les. Déposez 10 g de beurre sur chacun d'eux. Salez et poivrez. Cuisez-les de 2 à 3 min de l'autre côté selon la cuisson désirée. Transférez-les à l'écumoire sur 4 assiettes chaudes. Réservez au chaud.

2. Déglacez la poêle avec le marsala en grattant le fond à la spatule. Ajoutez le fond de veau. Laissez réduire de moitié, puis incorporez le reste de beurre en fouettant.

3. Dans une poêle antiadhésive, saisissez les escalopes à feu vif, 45 s de chaque côté. Déposez-les sur les tournedos. Parsemez de fleur de sel et poivrez. Nappez de sauce et décorez de roquette.

Carbonate de bœuf à la flamande

Longuement mijoté, ce chaleureux ragoût de bœuf à la bière et aux oignons est idéal lors de grands frimas.

Facile | Pour **6 personnes** | Préparation **25 min** | Cuisson **3 h 20**

Ingrédients

- 60 g de beurre
- 2 c. à s. d'huile de tournesol
- 1,2 kg de bœuf à braiser (gîte, macreuse, paleron…) coupé en petits morceaux
- 6 gros oignons grossièrement émincés
- 1 bouquet garni
- 1 c. à s. de cassonade
- 2 c. à s. de farine
- 25 cl de bouillon de bœuf
- 50 cl de bière blonde
- 1 c. à s. de vinaigre de vin
- 6 tranches de pain de campagne grillées, frottées d'ail
- Sel, poivre

1. Dans une sauteuse, faites chauffer la moitié du beurre et l'huile à feu moyen. Mettez-y la viande salée et poivrée à dorer 5 min de tous côtés. Transférez-la à l'écumoire sur un plat. Faites suer les oignons 5 min dans la sauteuse, en remuant.

2. Dans une cocotte à fond épais, répartissez les oignons et la viande par couches successives en glissant le bouquet garni au centre.

3. Faites chauffer le reste de beurre dans la sauteuse. Ajoutez la cassonade et la farine. Remuez 1 min. Ajoutez 1 louchée du bouillon. Remuez 2 min. Incorporez le reste de bouillon, la bière et le vinaigre. Portez à frémissements, en remuant. Laissez frémir 2 min. Versez dans la cocotte et couvrez.

4. Laissez mijoter la carbonade 3 h à feu doux. Incorporez le pain avant de servir, très chaud.

Côtes de bœuf à l'ail rôti

Ainsi cuites sur l'os, les côtes de bœuf sont doucement arrosées de la graisse qui les recouvre. Un régal !

Facile | Pour **8 personnes** | Préparation **10 min** | Repos **40 min** | Cuisson **55 min**

Ingrédients

- 1 rôti de 2 côtes de bœuf (2,3 kg)
- 4 gousses d'ail finement émincées + 3 têtes d'ail
- 3 c. à s. d'huile d'olive
- 1 c. à c. d'origan séché
  + quelques brins d'origan frais pour décorer
- Sel, poivre du moulin

1. Déposez le rôti dans un plat à four, côté os dessous. Mélangez l'ail émincé avec 2 c. à s. d'huile, l'origan séché, 1 c. à c. de sel et 1 c. à c. de poivre. Étalez ce mélange sur la graisse qui recouvre le rôti. Laissez reposer 40 min à température ambiante.

2. Préchauffez le four à 260 °C (th. 8/9), puis enfournez le rôti pour 20 min. Baissez la température du four à 160 °C (th. 5/6).

3. Coupez 2 têtes d'ail en deux, puis placez-les autour du rôti et arrosez-les du reste d'huile. Poursuivez la cuisson de 25 à 35 min selon la cuisson désirée.

4. Retirez du four, couvrez de papier d'aluminium et laissez reposer 10 min avant de servir, décoré de brins d'origan.

Feuilletés de boudin blanc aux figues

Une merveille d'équilibre entre la fine suavité du boudin blanc et le chutney de figues subtilement épicé.

Facile | Pour **6 personnes** | Préparation **15 min** | Cuisson **45 min**

Ingrédients

- 50 g de beurre demi-sel
- 2 belles pommes granny-smith coupées en dés
- Le jus de ½ citron
- 6 figues séchées moelleuses coupées en dés
- 20 g de raisins blonds
- ½ c. à s. de quatre-épices
- 2 c. à s. de miel liquide
- 15 cl de cidre doux
- 3 boudins blancs
- 200 g de pâte feuilletée préétalée
- Poivre du moulin

1. Dans une casserole, faites chauffer la moitié du beurre à feu moyen. Ajoutez les pommes, le jus de citron, les figues séchées, les raisins, le quatre-épices, le miel et le cidre. Portez à frémissements, en remuant. Couvrez.

2. Laissez compoter 15 min à feu doux, puis faites légèrement caraméliser le chutney 5 min à feu moyen et à découvert. Laissez refroidir.

3. Préchauffez le four à 180 °C (th. 6). Faites chauffer le reste de beurre dans une poêle. Mettez-y les boudins à dorer 10 min à feu doux, en les retournant souvent. Coupez-les en rondelles.

4. Découpez 6 rectangles de 6 x 12 cm dans la pâte. Répartissez-y le chutney en laissant un bord de 1 cm tout autour. Couvrez des rondelles de boudin. Enfournez pour 15 min. Poivrez et servez.

Le boudin blanc

Le boudin blanc est une **charcuterie** préparée à partir de **viandes blanches finement hachées** (veau, volaille, lapin, parfois porc et même poisson), liées avec des œufs, du lait et éventuellement de la mie de pain. Sa forme l'apparente aux boudins, mais il n'a aucune parenté avec le boudin noir (qui est réparé à partir de sang de porc). Le boudin blanc est particulièrement apprécié pour les **fêtes**, mais il est disponible toute l'année. C'est un plat dont les origines remontent au Moyen Âge, et dont il existe aujourd'hui de nombreuses versions améliorées, intégrant, suivant les cas, **truffes** et autres champignons prestigieux (**morilles**, cèpes…), mais aussi du chou ou des noix. C'est une spécialité de la région de l'**Orne**, et de la ville de **Liège**, en Belgique ; il contient alors souvent du persil. On peut piquer ou non les boudins blancs avant de les cuire, suivant le mode de cuisson et le résultat souhaités. Cuits sans être piqués, ils seront particulièrement **moelleux**, à condition d'être d'excellente qualité.

Conseils pratiques

• ACHAT

Préférez les boudins blancs du charcutier à ceux vendus sous vide en grandes surfaces. Ceux-ci doivent impérativement être préparés avec du boyau naturel.

• TRUFFÉ OU NON ?

La mention « truffé » sans autre précision implique la mise en œuvre d'au moins 3 % de truffe noire *(tuber melanosporum)*. Attention, lisez bien les étiquettes : les boudins blancs en contiennent souvent beaucoup moins (1 %) et il peut s'agir de truffes de Chine, sans saveur. Préférez un excellent boudin blanc non truffé à un boudin truffé de qualité médiocre.

• AU FOUR

Si vous souhaitez cuire vos boudins blancs au four, piquez-les avec une fourchette, puis déposez-les dans un plat, sur un lit d'échalotes émincées. Arrosez de 10 cl de vin blanc sec et enfournez à 160 °C (th. 5/6) pour 20 min, en remuant régulièrement.

• À LA POÊLE

Si vous souhaitez les poêler, ne les piquez pas : faites-les cuire dans une belle noisette de beurre, à feu doux, en les retournant de temps en temps (sans percer la peau). Ils auront ainsi une peau légèrement croustillante et une chair moelleuse.

Le + nutrition

Malgré sa chair fine donnant une impression de viande maigre, le boudin blanc est une charcuterie, et il est riche en lipides mais aussi en protéines. L'apport calorique est augmenté si vous le préparez au beurre ; privilégiez donc une cuisson pochée ou au four si vous surveillez votre poids.

Pour 100 g
> 260 kcal
> Protéines : 12 g
> Glucides : 2,5 g
> Lipides : 21 g
> Sodium : 711 mg
> Cholestérol : 50 mg

Boudins blancs **poêlés aux pommes**

Une recette classique dont on ne se lasse pas tant elle est savoureuse et… facile à réussir !

Facile | Pour **6 personnes** | Préparation **15 min** | Cuisson **10 min**

Ingrédients

– 4 pommes golden du Limousin
– 1 filet de jus de citron
– 70 g de beurre
– 6 boudins blancs truffés
– 1 c. à s. de cassonade
– 3 c. à s. de banyuls
– Sel, poivre du moulin

1. Lavez soigneusement les pommes, puis séchez-les dans du papier absorbant. Équeutez-les et coupez-les en quatre. Épépinez chaque quartier, puis recoupez-les en deux dans l'épaisseur. Citronnez-les.

2. Dans une poêle, faites chauffer 30 g de beurre à feu doux. Mettez-y les boudins salés et poivrés à cuire 10 min environ, en les retournant à mi-cuisson.

3. Pendant ce temps, faites chauffer le reste de beurre dans une sauteuse à feu moyen. Mettez-y les quartiers de pomme à dorer 3 min de chaque côté. Salez et poivrez, puis saupoudrez de cassonade. Laissez caraméliser 2 min de chaque côté.

4. Répartissez les boudins et les pommes sur 2 plats de service. Déglacez la sauteuse avec le banyuls et 1 c. à s. d'eau chaude en grattant le fond à la spatule. Versez sur les pommes. Servez aussitôt.

« Pour poêler des boudins blancs, ne les piquez pas : ils auront une peau légèrement croustillante et une chair moelleuse. »

Cailles au raisin bardées de lard fumé

Parfumées du lard fumé qui les entoure, les cailles au raisin sont farcies de foie gras... Quel délice !

Délicat | Pour **4 personnes** | Préparation **20 min** | Cuisson **25 min**

Ingrédients

- 4 belles cailles prêtes à cuire
- 4 petites grappes de raisin lavées et égrappées
- 100 g de bloc de foie gras de canard du Sud-Ouest en boîte
- 4 tranches de lard fumé maigre
- 4 c. à s. de graisse de canard
- 20 cl de vin muscat blanc d'Alsace
- 8 tranches de pain de mie écroûtées
- Sel, poivre

1. Salez et poivrez l'intérieur et l'extérieur des cailles. Farcissez chacune d'elle de 2 grains de raisin et du foie gras coupé en dés. Couvrez-les du lard fumé, puis ficelez-les.

2. Faites chauffer la graisse de canard dans une cocotte à feu moyen. Mettez-y les cailles à dorer 5 min de tous côtés.

3. Ajoutez le vin. Portez à frémissements, couvrez et baissez le feu. Laissez mijoter 15 min à feu doux, en retournant les cailles de temps en temps.

4. Ajoutez le reste du raisin. Poursuivez la cuisson 5 min. Toastez le pain au grille-pain. Superposez 2 toasts sur chaque assiette. Surmontez-les des cailles, entourez du raisin, puis nappez du jus de cuisson. Servez aussitôt.

Saumon à la tapenade et au lard fumé

Cuit en papillotes, le saumon garde tout son moelleux, qui contraste superbement avec le lard croustillant.

Facile | Pour **4 personnes** | Préparation **20 min** | Cuisson **20 min**

Ingrédients

- 750 g de petites pommes de terre à chair ferme de même calibre
- 4 pavés de saumon avec la peau (150 g chacun)
- 2 c. à s. d'huile d'olive
- Le jus de ½ citron
- 4 c. à s. de tapenade
- 2 brins de thym effeuillés + 4 brins pour décorer
- 4 fines tranches de lard fumé
- Sel, poivre

1. Préchauffez le four à 240 °C (th. 8). Lavez les pommes de terre. Faites-les cuire 20 min environ à l'eau bouillante salée. Égouttez-les, pelez-les, puis coupez-les en rondelles.

2. Pendant ce temps, déposez chaque filet de saumon sur une feuille de papier d'aluminium, côté peau dessous. Salez et poivrez. Arrosez d'huile et de jus de citron, recouvrez de tapenade et parsemez de thym. Refermez hermétiquement les papillotes et enfournez pour 10 min.

3. Dans une poêle antiadhésive, faites griller les tranches de lard à sec 5 min à feu vif, en les retournant à mi-cuisson.

4. Répartissez les pommes de terre sur 4 assiettes chaudes. Surmontez-les du saumon, puis du lard. Arrosez du jus contenu dans les papillotes, décorez des brins de thym et servez.

Chapon de Noël farci à la truffe et au foie gras

La plus prestigieuse des volailles, pochée puis rôtie, garnie d'une farce somptueuse. Qui dit mieux ?

Délicat | Pour **4 personnes** | Préparation **35 min** | Cuisson **2 h 50**

Ingrédients

- 1 chapon de 3 kg avec abats et cou
- 1 c. à c. d'huile de tournesol
- 130 g de beurre
- 100 g de foie gras de canard cru
- 175 g de marrons au naturel
- 1 petite truffe noire émincée
- 3 l de bouillon de volaille
- Sel, poivre du moulin

1. Émincez le foie du chapon, puis faites-le sauter 3 min dans une poêle avec l'huile et 10 g de beurre. Salez et poivrez généreusement. Ajoutez le foie gras de canard coupé en dés. Faites sauter le tout 30 s.

2. Dans une jatte, mélangez la préparation obtenue avec les marrons et la truffe. Emplissez le chapon de cette farce, puis recousez-le avec une aiguille à briser et de la ficelle de cuisine. Ficelez-le pour maintenir les ailes et les cuisses le long du corps.

3. Portez le bouillon de volaille à frémissements dans une marmite, puis déposez-y le chapon farci et faites-le pocher 30 min.

4. Préchauffez le four à 180 °C (th. 6). Égouttez le chapon et placez-le dans un plat à four pouvant aller sur le feu. Badigeonnez-le de 60 g de beurre, salez, poivrez généreusement et couchez-le sur un côté. Ajoutez les morceaux de cou, le cœur, les ailerons et le reste éventuel de farce tout autour.

5. Enfournez pour 1 h 40, en retournant le chapon à mi-cuisson. Puis mettez-le sur le ventre et prolongez la cuisson 30 min.

6. En fin de cuisson, retirez la ficelle et posez le chapon entier sur le plat de service, découpez et servez.

« Quand vous retournez le chapon, manipulez-le délicatement pour ne pas déchirer ou percer la peau, et arrosez-le régulièrement avec son jus. »

Le chapon

Jeune coq castré avant d'avoir atteint sa maturité sexuelle, le chapon est redevenu depuis quelques années un mets recherché, alors qu'il était déjà consommé au temps de la Rome antique. Il est nourri avec un minimum de **75 % de céréales**, puis exclusivement avec des produits laitiers, un mois avant d'être abattu. Il passe ses dernières semaines dans une « épinette », une cage en bois, qui permet d'affiner davantage sa chair. Tous ces éléments développent une **viande finement persillée**, la graisse s'immisçant au cœur des fibres au lieu de s'accumuler sous la peau de la volaille. Une fois abattu, le chapon est **plumé à la main**, puis **enserré dans une fine toile végétale**, qui contribuera encore à développer les saveurs de sa chair, incroyablement moelleuse. Le **chapon de Bresse** est le plus réputé de tous ; il ne peut avoir moins de huit mois, dont sept passés au pré. Il peut peser jusqu'à 6 kg, mais les chapons de 3 kg sont une volaille idéale pour 6 à 8 personnes. Démasquez les « faux » chapons en vérifiant leur tête : ils ne doivent pas avoir de crête !

Conseils pratiques

• ACHAT
Préférez bien sûr les chapons de Bresse, mais ceux-ci sont assez onéreux : comptez ainsi jusqu'à 30 euros au kilo ; un chapon de taille moyenne attendra ainsi près de 100 euros ! À défaut, faites confiance aux chapons portant l'étiquette Label Rouge. Ceux-ci sont en effet deux fois moins chers.

• PRÉPARATION
Demandez au volailler de vider le chapon et de lui couper le cou, mais précisez que vous voulez les abats. Sortez-le du réfrigérateur 30 min à l'avance, pour ne pas raidir les chairs en provoquant un choc thermique excessif en le mettant au four.

• PRÉCUISSON
L'idéal est de précuire le chapon en le pochant dans un bouillon de volaille frémissant 20 à 30 min, pour le dégraisser partiellement et préparer ses chairs à la chaleur du four. Égouttez ensuite soigneusement le chapon. Une fois dégraissé, le bouillon peut être servi tel quel, parsemé de cerfeuil.

• CUISSON
Le chapon poché doit ensuite être rôti à four chaud, en le retournant de temps en temps pour empêcher la chair de se dessécher. Manipulez-le délicatement quand vous le tournez, pour ne pas déchirer ou percer la peau, et arrosez-le régulièrement avec son jus.

Le + nutrition

Le chapon est la volaille la plus grasse, même si le fait de la pocher permet de supprimer une partie des graisses. Il est riche en protéines et en vitamine B6, et apporte également de la vitamine A ainsi que de la vitamine B12.

Pour 100 g
> 213 kcal
> Protéines : 26 g
> Lipides : 12 g dont acides gras saturés : 3,5 g
> Vitamine B6 : 0,44 mg
> Vitamine B12 : 3 µg

La dinde

Jouissant d'une excellente réputation dans les pays anglo-saxons, ou elle est considérée comme la **volaille festive** par excellence (en particulier pour la fête de **Thanksgiving**, le quatrième jeudi de novembre), la dinde véhicule chez nous une image de viande fade et sèche, voire de pis-aller du poulet. Elle est pourtant gourmande et savoureuse, notamment ses pilons et ses hauts de cuisse, qui fournissent une **viande colorée** presque brune, très moelleuse. Ses filets (les « blancs ») peuvent être plus secs ; il faut les cuire assez rapidement, en les **arrosant fréquemment**. Originaire d'Amérique, la dinde est aujourd'hui élevée en batterie, participant à sa mauvaise image. Privilégiez les dindes bénéficiant d'un **Label Rouge** ; vous aurez ainsi la garantie d'une alimentation au grain et en plein air et d'un abattage à au moins 20 semaines. La **dinde fermière de Bresse**, dont la chair fine est la plus goûteuse, ne se trouve que chez les meilleurs volaillers. La dinde est plutôt grasse, mais la graisse est située sous la peau, et sa chair est maigre, surtout les blancs.

Conseils pratiques

• ACHAT

Une dinde idéale doit être mature (trop jeune, sa chair est fade), mais pas trop vieille, car sa chair serait alors plus coriace. Choisissez-la entre 3,5 et 4 kg et n'oubliez pas de demander les abats au volailler : vous les ferez sauter à la poêle puis les intégrerez à la farce.

• CHOIX

La graisse de la dinde s'accumule sous ses ailes, autour du bréchet (gros cartilage sur lequel se collent les muscles des ailes) et du croupion. Tâtez la chair pour vous assurer qu'elle est bien répartie et non tassée en gros amas. Les dindes de couleur noire sont souvent plus savoureuses que les blanches.

• PRÉPARATION

Coupée en morceaux, préparez la dinde comme une découpe de poulet, en adaptant le temps de cuisson : en blanquette, en sauté… Entière, piquez-la soigneusement avant de la rôtir au four, dans un grand plat qui pourra recueillir sa graisse.

• CUISSON

Il est en revanche important de ne pas piquer la peau de la dinde pendant la cuisson : vous aspergeriez les parois du four de sa graisse bouillante ! La cuisse de dinde forme un rôti savoureux, à faire cuire comme un gigot d'agneau, piquée d'éclats d'ail et parsemée de romarin.

Le + nutrition

Le foie gras est évidemment très calorique ; c'est un produit très riche en lipides, dont une part importante d'acides gras saturés et énormément de cholestérol. Mais c'est un « aliment-plaisir », festif, que l'on consomme généralement en petites quantités : régalez-vous sans complexe !

Pour 100 g

> 515 kcal

> Protéines : 7,5 g

> Lipides : 53 g

dont acides gras saturés : 21 g

> Cholestérol : 1 040 mg

Suprêmes de dinde aux coques

Osez allier la dinde et les coques dans cette étonnante recette pimentée liée de crème et de lait de coco.

Facile | Pour **4 personnes** | Préparation **20 min** | Cuisson **20 min**

Ingrédients

- 30 g de beurre
- 4 suprêmes de dinde avec la peau (170 g chacun)
- 500 g de coques
- 1 tige de citronnelle asiatique finement émincée
- 20 cl de lait de coco
- 10 cl de crème épaisse
- ½ c. à c. de piment d'Espelette en poudre
- 2 c. à s. de ciboulette ciselée
  + quelques brins pour décorer
- Sel et poivre

1. Dans une poêle, faites chauffer le beurre à feu moyen. Mettez-y les suprêmes de dinde salés et poivrés à dorer 8 min côté peau dessous, puis 2 min de l'autre côté. Coupez-les en fines tranches dans l'épaisseur. Réservez au chaud.

2. Lavez soigneusement les coques dans plusieurs eaux. Dans un faitout, faites-les ouvrir 5 min environ à feu vif, en secouant souvent le récipient. Égouttez-les en filtrant leur jus de cuisson au-dessus d'une casserole. Ajoutez la citronnelle, le lait de coco, la crème et le piment d'Espelette.

3. Portez à frémissements. Faites réchauffer les coques et les tranches de suprêmes 2 min. Incorporez la ciboulette ciselée et rectifiez l'assaisonnement. Servez à l'assiette, décoré des brins de ciboulette.

Dinde roulée aux lentilles pistachées

Vous souhaitez sortir des sentiers battus ? En osant ces délicieuses roulades originales, vous serez comblé !

Délicat | Pour **6 personnes** | Préparation **25 min** | Cuisson **45 min**

Ingrédients

- 100 g de lentilles du Puy rincées
- 1 petit oignon piqué de 1 clou de girofle
- 1 bouquet garni
- 180 g de fromage de chèvre frais
- 2 c. à s. de persil plat ciselé
- 6 très fines escalopes de dinde (150 g chacune environ)
- 3 c. à s. d'huile de tournesol
- 120 g de pistaches non salées grossièrement concassées
- 1 c. à s. de baies roses grossièrement concassées
- 1 c. à s. de jus de citron
- 1 c. à s. d'huile de pistache
- Sel, poivre

1. Mettez les lentilles dans une casserole avec l'oignon piqué et le bouquet garni. Poivrez et recouvrez d'eau. Portez à frémissements. Couvrez. Laissez frémir 25 à 30 min à feu doux. Salez en fin de cuisson. Égouttez. Ôtez l'oignon et le bouquet.

2. Mélangez le fromage de chèvre avec le persil, du sel et du poivre. Répartissez sur les escalopes avec les lentilles. Roulez-les pour enfermer la garniture et maintenez-les avec des piques en bois.

3. Dans une poêle, faites chauffer l'huile de tournesol à feu moyen. Mettez-y les roulades à dorer 10 min de tous côtés. Ajoutez les pistaches et les baies roses. Salez. Poursuivez la cuisson 2 min, en retournant constamment les roulades.

4. Retirez du feu, puis arrosez de jus de citron et d'huile de pistache. Couvrez, laissez reposer 2 min et servez.

Poularde au pot sauce gribiche

Vedette des fêtes de fin d'année, la poularde est succulente cuite au pot et accompagnée de sauce gribiche.

Facile | Pour **6 personnes** | Préparation **40 min** | Cuisson **1 h 45**

Ingrédients

- 1 poularde de Bresse prête à cuire
- 1 bouquet garni
- 1 oignon piqué de 2 clous de girofle
- 1 c. à s. de grains de poivre noir
- 4 grosses carottes
- 4 navets
- 4 poireaux
- 2 tiges de céleri branche
- 3 œufs durs, blancs et jaunes séparés
- 1 jaune d'œuf extrafrais
- 1 c. à s. de moutarde
- 50 cl d'huile de tournesol
- 1 c. à s. de jus de citron
- 2 c. à s. d'estragon et de persil finement ciselés + quelques brins de cerfeuil pour décorer
- 1 c. à s. de câpres hachées
- Sel, fleur de sel, poivre du moulin, baies roses grossièrement concassées

1. Mettez la poularde dans un faitout avec le bouquet garni, l'oignon piqué et les grains de poivre. Recouvrez d'eau. Portez à frémissements et salez. Couvrez aux trois quarts et laissez frémir 1 h.

2. Pelez et lavez les carottes et les navets. Coupez les carottes en quatre dans la longueur et les navets en quartiers. Nettoyez soigneusement les poireaux, puis liez-les en botte. Effilez et tronçonnez le céleri branche. Placez les légumes dans le faitout. Attendez le retour des frémissements et poursuivez la cuisson 45 min.

3. Préparez la sauce gribiche. Coupez les blancs d'œufs durs en très petits dés. Dans une jatte, écrasez les jaunes durs à la fourchette en les mélangeant avec le jaune cru, la moutarde, du sel et du poivre. Émulsionnez avec l'huile en fouettant. Incorporez le jus de citron, les herbes, les câpres et les dés de blancs d'œufs.

4. Servez la poularde découpée et les légumes parsemés de fleur de sel, de baies roses et poivrés avec la sauce gribiche en coupelles décorée du cerfeuil ainsi que le bouillon, filtré et dégraissé, à part.

La poularde

On appelle poularde une **jeune poule** n'ayant pas encore pondu et qui a été **engraissée** spécifiquement, aux céréales (dont du maïs) et au lait. La poularde présente une **chair très blanche**, tendre, avec une saveur fine. Évitez les aromates puissants (oignon, ail, laurier…), qui nuisent à son parfum, mais osez les mariages avec des produits **prestigieux**. La poularde de Bresse figure parmi les plus savoureuses ; on prépare dans la région lyonnaise une célèbre **poularde demi-deuil**, en lui associant de fines lamelles de **truffe**. La poularde est aussi mise en valeur par la subtilité des **morilles** ou en farcissant ses suprêmes de bleu de Bresse.

Filet de biche rôti et blinis de pommes de terre

Rosé à cœur, comme il se doit, le rôti de biche reste d'une tendreté et d'une saveur incomparables.

Facile | Pour **6 personnes** | Préparation **20 min** | Cuisson **1 h**

Ingrédients
– 900 g de pommes de terre bintje
– 60 g de farine tamisée
– 20 cl de lait
– 15 cl de crème liquide
– 3 œufs battus
– 2 pincées de noix muscade râpée
– 10 cl d'huile de tournesol
– 1 filet de biche (900 g environ)
– 5 branches de romarin
– 6 brins de sarriette + 6 brins pour décorer
– 5 cl de cognac
– 15 cl de bouillon de bœuf
– Sel, poivre

1. Pelez et lavez les pommes de terre. Faites-les cuire 25 min à l'eau bouillante salée. Égouttez-les. Écrasez-les à la fourchette, puis mélangez-les avec la farine, le lait, la crème, les œufs, la muscade, du sel et du poivre. Réservez.

2. Préchauffez le four à 210 °C (th. 7). Dans une sauteuse, faites chauffer 3 c. à s. d'huile à feu vif. Mettez-y le filet de biche salé et poivré à dorer 5 min de tous côtés.

3. Répartissez les herbes dans un plat à four en les serrant. Déposez le filet de biche par-dessus. Versez 4 c. à s. d'eau dans le plat. Enfournez pour 25 min, en retournant le filet à mi-cuisson.

4. Pendant ce temps, faites chauffer le reste d'huile dans une grande poêle. Versez-y la pâte à blinis par petites louchées successives (elles ne doivent pas se toucher). Faites dorer 3 à 4 min de chaque côté.

5. Déposez le filet sur une planche à découper. Couvrez-le de papier d'aluminium. Retirez les herbes, puis déglacez le plat avec le cognac et le bouillon de bœuf. Servez le filet découpé à l'assiette, décoré de sarriette et nappé de jus, avec les blinis.

Blanquette de pintade aux pruneaux

Pour magnifier les saveurs de ce plat goûteux, accompagnez-le d'un vin blanc liquoreux, comme le sauterne !

Facile | Pour **4 personnes** | Préparation **25 min** | Cuisson **1 h 25**

Ingrédients

- 30 g de beurre
- 2 c. à s. d'huile de tournesol
- 1 pintade découpée en morceaux
- 2 échalotes émincées
- 1 c. à s. de farine
- 10 cl de vin blanc sec
- 40 cl de bouillon de volaille
- 1 bouquet garni
- 400 g de petites girolles nettoyées
- 12 pruneaux dénoyautés
- 15 cl de crème fraîche épaisse
- Le jus de ½ citron
- Sel, poivre et baies roses du moulin

1. Faites chauffer le beurre et 1 c. à s. d'huile dans une cocotte à feu moyen. Mettez-y la pintade et les échalotes à revenir 5 min en remuant. Salez, poivrez et farinez. Remuez 2 min. Ajoutez le vin, le bouillon et le bouquet garni. Portez à frémissements. Couvrez et laissez frémir 1 h à feu doux.

2. Faites chauffer 1 c. à s. d'huile dans une poêle. Mettez-y les girolles salées et poivrées à sauter 5 min à feu vif. Placez-les dans la cocotte, ainsi que les pruneaux. Poursuivez la cuisson 15 min.

3. Prélevez la volaille, les girolles et les pruneaux à l'écumoire. Réservez au chaud.

4. Filtrez le bouillon. Faites-le réduire 5 min, puis incorporez la crème et le jus de citron, en fouettant. Versez sur le contenu du plat. Donnez un tour de moulin à poivre et servez.

Mitonnée de porc aux pruneaux

Dans cette recette, le porc s'allie à de savoureux complices : pruneaux, carottes, oignons et quatre-épices.

Facile | Pour **6 personnes** | Préparation **20 min** | Cuisson **2 h**

Ingrédients
- 600 g de grosses carottes
- 4 c. à s. d'huile de tournesol
- 1,2 kg d'échine de porc désossée coupée en morceaux
- 2 gros oignons grossièrement émincés
- 2 c. à c. de quatre-épices
- 15 cl de vin rouge corsé
- 1 bouquet garni
- 250 g de pruneaux moelleux dénoyautés
- Sel, poivre

1. Pelez et lavez les carottes. Coupez-les en quatre dans la longueur. Recoupez-les en petits morceaux.

2. Dans une cocotte, faites chauffer l'huile à feu moyen. Mettez-y le porc salé et poivré à dorer 10 min de tous côtés. Transférez-le à l'écumoire sur un plat.

3. Dans la cocotte, faites suer les oignons saupoudrés du quatre-épices 5 min en remuant. Déglacez avec le vin en grattant le fond à la spatule. Ajoutez le porc, les carottes et le bouquet garni. Couvrez d'eau à hauteur. Portez à frémissements et couvrez. Laissez mijoter 1 h à feu doux.

4. Incorporez les pruneaux. Poursuivez la cuisson 45 min environ : la viande doit être cuite à cœur et le jus de cuisson très court. Retirez le bouquet garni, rectifiez l'assaisonnement et servez.

Fagots de poireaux au saumon fumé

Le couple idéal ? Poireaux et saumon fumé ! Servez ces petits fagots tièdes avec un poisson poché.

Facile | Pour **4 personnes** | Préparation **25 min** | Cuisson **20 min**

Ingrédients
- 2 œufs durs
- ½ botte de ciboulette
- 4 poireaux moyens
- 4 tranches de saumon fumé
- 4 filets de jus de citron
- 4 c. à s. de mayonnaise
- Sel

1. Écalez les œufs durs. Coupez-les en très petits dés. Rincez la ciboulette. Faites blanchir 4 brins 1 min à l'eau bouillante. Égouttez-les. Ciselez finement le reste.

2. Supprimez les racines et l'extrémité dure des feuilles vertes des poireaux. Fendez-les dans la longueur et lavez-les soigneusement sous l'eau courante. Coupez-les en deux. Liez-les en botte avec de la ficelle de cuisine. Faites-les cuire 20 min à l'eau bouillante salée, puis égouttez-les et ôtez la ficelle.

3. Réunissez les poireaux en 4 fagots. Entourez chacun d'eux d'une tranche de saumon fumé, puis liez-les d'un brin de ciboulette.

4. Servez les fagots tièdes, arrosés du jus de citron, parsemés des œufs et de la ciboulette ciselée, et accompagnés de la mayonnaise.

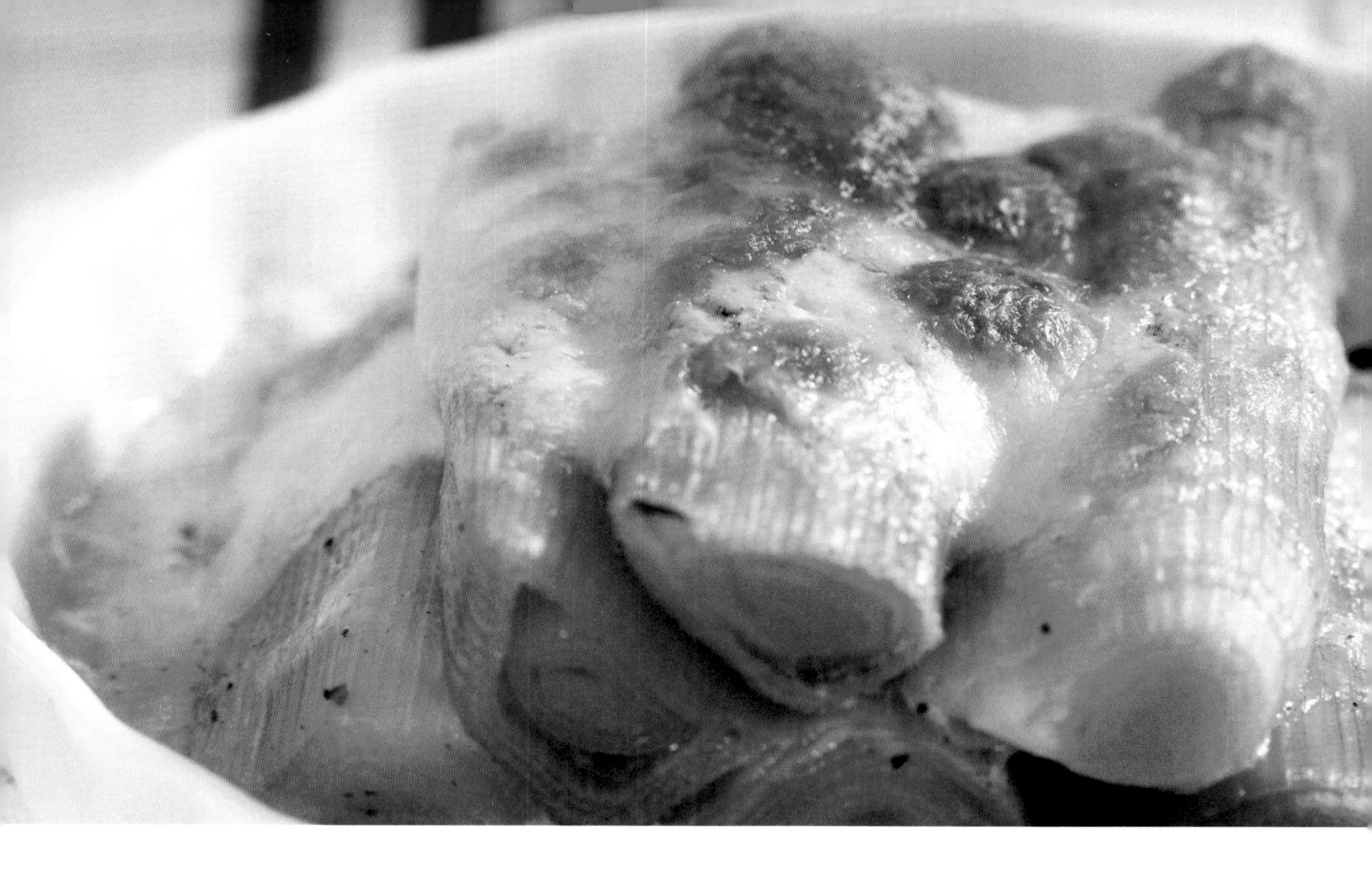

Poireaux gratinés au comté

Dans cette recette toute simple, les poireaux s'unissent délicieusement au comté. Les amateurs apprécieront !

Facile | Pour **4 personnes** | Préparation **15 min** | Cuisson **30 min**

Ingrédients

- 8 blancs de poireaux avec un peu de la partie la plus tendre du vert
- 50 g de beurre ramolli
- 150 g de comté râpé
- 15 cl de crème liquide
- 1 gousse d'ail écrasée
- 1 pincée de noix muscade râpée
- Sel, poivre du moulin

1. Nettoyez soigneusement les poireaux. Faites-les blanchir 15 min à l'eau bouillante salée. Égouttez-les soigneusement en les pressant délicatement du plat de la main pour en extraire un maximum de liquide.

2. Préchauffez le four à 200 °C (th. 6-7). Beurrez uniformément le fond et la paroi d'un plat à gratin. Répartissez-y la moitié des poireaux. Parsemez-les de la moitié du comté et poivrez, puis ajoutez le reste des poireaux.

3. Dans une jatte, mélangez le reste du comté avec la crème, l'ail et la muscade. Salez légèrement, puis versez sur les poireaux et poivrez. Faites gratiner 10 à 15 min au four. Servez aussitôt.

Flamiche aux poireaux

Pour un accord parfait, servez cette savoureuse tarte aux poireaux d'origine picarde avec du saumon fumé.

Facile | Pour **6 personnes** | Préparation **15 min** | Cuisson **45 min**

Ingrédients

- 6 poireaux
- 1 rouleau de pâte brisée
- 60 g de beurre + 20 g de beurre ramolli pour la tourtière
- 4 œufs
- 15 cl de crème fraîche épaisse
- 2 pincées de noix muscade râpée
- Sel, poivre

1. Supprimez les racines et l'extrémité dure des feuilles vertes des poireaux. Fendez-les dans la longueur et lavez-les soigneusement sous l'eau courante. Coupez-les en rondelles épaisses. Faites-les blanchir 5 min à l'eau bouillante salée, puis égouttez-les.

2. Préchauffez le four à 180 °C (th. 6). Beurrez une tourtière de 24 cm de diamètre au pinceau. Garnissez-le avec la pâte brisée. Piquez le fond à la fourchette.

3. Faites chauffer le beurre dans une sauteuse à feu moyen. Mettez-y les poireaux à suer 10 min, en remuant souvent sans laisser colorer. Laissez tiédir.

4. Dans un saladier, mélangez les œufs avec la crème, la muscade, du sel et du poivre, en fouettant. Incorporez les poireaux et mélangez bien. Répartissez sur le fond de pâte. Enfournez pour 30 min environ : le dessus doit être bien doré. Laissez reposer 5 min dans la tourtière avant de démouler et de servir.

« Même les poireaux d'hiver ne doivent pas être trop gros : choisissez-les longs et souples, avec davantage de blanc que de vert. »

Le poireau

Proche de l'oignon ou de l'ail, le poireau est constitué à la fois de la racine (le blanc) et des feuilles (le vert) de la plante, que l'on consomme quasi totalement. Ingrédient indispensable du **pot-au-feu** ou de nombreuses **soupes**, c'est aussi l'élément de base de la **flamiche**, cette quiche gourmande à laquelle il offre sa saveur et un fondant incomparables (voir p. 60). Le vert de poireau est un ingrédient facultatif du **bouquet garni**, qui apporte notamment sa saveur fraîche aux **bouillons**. En enveloppant les autres herbes, il limite également leur dispersion dans le liquide frémissant. Les fins **poireaux baguette** du printemps ont un goût plus subtil que les gros poireaux d'hiver, mais ces derniers conviennent davantage aux soupes et aux plats mijotés : ils doivent être nettoyés à cœur pour en ôter toute trace de terre. Dans les bouillons, **liez-les avec de la ficelle** de cuisine : vous éviterez ainsi qu'ils ne fondent. Pensez à les **associer aux noix de Saint-Jacques**, avec lesquelles ils forment un duo délicieux.

Conseils pratiques

• ACHAT

Même les poireaux d'hiver ne doivent pas être trop gros : choisissez-les longs et souples, avec davantage de blanc que de vert, sans feuilles flétries ou jaunies. Dédaignez les blancs de poireaux vendus en sachets : ils sont souvent secs et durs.

• CONSERVATION

Les poireaux se conservent non lavés, dans le bas du réfrigérateur, pendant au moins 8 jours. S'ils commencent à flétrir, lavez-les et coupez-les en rondelles : vous pourrez alors les congeler ou les garder au réfrigérateur encore 3 à 4 jours, dans une boîte hermétique.

• PRÉPARATION

Supprimez d'abord les radicelles blanches, puis coupez tout ou partie du vert suivant l'utilisation prévue. Il est ensuite important de fendre les blancs de part en part et de bien les rincer sous l'eau courante, car de la terre se niche souvent entre les couches.

• CUISSON

Le temps de cuisson des poireaux varie énormément suivant leur âge ; de jeunes poireaux baguette cuiront en quelques minutes à peine, mais de gros poireaux d'hiver auront besoin de 20 min à la vapeur, et même de confire 40 min environ à la sauteuse pour être bien tendres.

Le + nutrition

Les poireaux d'hiver sont moins riches en vitamines que ceux de printemps, d'autant qu'ils demandent une cuisson plus longue. Mais ils constituent une véritable mine de fibres et restent une bonne source de minéraux. Ils sont très peu caloriques, à condition d'être cuits sans matière grasse.

Pour 100 g
- > 27 kcal
- > Glucides : 3,6 g
- > Fibres : 3,5 g
- > Potassium : 133 mg

Le chou-fleur

Inflorescence blanche d'une plante de la famille des **brassicacées**, le chou-fleur se consomme comme légume, **cuit** à l'eau bouillante salée mais aussi **cru**, spécialement quand il est assez jeune. Il est récolté avant la floraison, notamment en **Bretagne**, qui produit des choux-fleurs à la saveur fine, disponibles sur les marchés **dès le mois de septembre**. Il en existe différentes variétés, dont l'une, originaire d'Italie, présente une pomme à la couleur intensément **violette**. Mais attention : sa couleur disparaît à la cuisson ! À réserver donc aux emplois crus… Préparez-le par exemple en **taboulé**, en grattant sa chair avec un économe ou une simple petite cuillère. Elle se détache en petits grains, que vous pouvez mélanger à des herbes ciselées, de l'oignon rouge émincé et une vinaigrette relevée, pour une salade originale. Les **fleurettes de chou-fleur surgelées** sont pratiques d'emploi, mais délicates à cuire : utilisez une grande quantité d'eau bouillante, pour que l'ébullition reprenne rapidement.

Conseils pratiques

• ACHAT

Le chou-fleur doit être bien blanc, ses fleurettes denses et bien serrées les unes contre les autres, sans tâches noirâtres ni meurtrissures. Les feuilles qui entourent la pomme ne se consomment pas, mais elles sont une bonne indication de sa fraîcheur : elles doivent être bien vertes et cassantes.

• CONSERVATION

Le chou-fleur se conserve plusieurs jours dans un endroit frais ou dans le bas du réfrigérateur s'il est emballé dans du papier journal. Ne le gardez surtout pas à température ambiante, car il se corromprait en seulement quelques jours.

• PRÉPARATION

Ôtez les feuilles qui entourent la pomme du chou-fleur, puis coupez le pied à la base, en supprimant également la partie blanche montant entre les fleurettes. Séparez enfin celles-ci, en bouquets plus ou moins gros suivant l'utilisation prévue.

• CUISSON

Pour être consommé cru, le chou-fleur doit être choisi jeune ; détaillez-le en fleurettes de petite taille. La cuisson s'effectue à l'eau frémissante salée ou à la vapeur, en gardant une consistance assez ferme. On peut ensuite le servir tel quel, le faire sauter ou encore le gratiner.

Le + nutrition

Le chou-fleur est très peu calorique. Consommé cru, c'est l'un des légumes les plus riches en vitamine C : 100 g de fleurettes apportent nos besoins quotidiens. Il est également riche en vitamine A et en fibres, ainsi qu'en calcium, en magnésium et en potassium. Il contient par ailleurs du soufre, qui peut le rendre indigeste.

Pour 100 g
- **> 23 kcal**
- **> Glucides : 1,8 g**
- **> Fibres : 2,3 g**
- **> Potassium : 300 mg**
- **> Vitamine C : 70 mg**

Gratins de chou-fleur au comté

Ces petits gratins accompagneront superbement du boudin blanc grillé. Essayez : vous n'y résisterez pas !

Délicat | Pour **6 personnes** | Préparation **30 min** | Cuisson **45 min**

Ingrédients
- 1 chou-fleur détaillé en petits bouquets
- 50 g de beurre + 40 g de beurre ramolli pour les ramequins + 30 g de beurre en parcelles
- 50 g de farine tamisée
- 60 cl de lait
- 1 pincée de noix muscade râpée
- 80 g de comté râpé
- Quelques pluches de cerfeuil et quelques brins de ciboulette, pour décorer
- Sel, fleur de sel, poivre du moulin

1. Rincez les bouquets de chou-fleur. Faites-les cuire 15 min à l'eau bouillante salée, puis égouttez-les. Préchauffez le four à 210 °C (th. 7). Beurrez 6 moules individuels à charnière et à bord haut, au pinceau.

2. Dans une casserole, faites chauffer le beurre à feu doux. Ajoutez la farine en fouettant, puis versez le lait en filet et fouettez jusqu'à épaississement. Salez, poivrez et muscadez. Laissez cuire 10 min, en remuant souvent.

3. Retirez du feu, puis incorporez le chou-fleur et la moitié du comté. Répartissez dans les moules. Parsemez du reste de comté et des parcelles de beurre. Poivrez. Enfournez pour 20 min.

4. Servez les gratins parsemés de fleur de sel et décorés de cerfeuil et de ciboulette.

Curry de légumes au chou-fleur

Une recette végétarienne très parfumée à savourer avec du riz nature pour un repas léger de lendemain de fête.

Facile | Pour **4 personnes** | Préparation **25 min** | Cuisson **40 min**

Ingrédients

- 600 g de petits bouquets de chou-fleur
- 4 carottes
- 2 courgettes
- 2 c. à s. d'huile de tournesol
- 2 oignons émincés
- 3 gousses d'ail écrasées
- 1 c. à c. de cumin en poudre
- 2 c. à c. de curry doux en poudre
- 1 c. à c. de curcuma
- 3 tomates pelées, épépinées et coupées en dés
- 25 cl de bouillon de légumes
- 12 feuilles de menthe ciselées + 2 quelques sommités pour décorer
- Sel, poivre

1. Faites blanchir les bouquets de chou-fleur 3 min à l'eau bouillante salée, puis égouttez-les. Pelez et lavez les carottes. Lavez les courgettes. Coupez-les en rondelles ainsi que les carottes.

2. Faites chauffer l'huile dans une sauteuse à feu moyen. Mettez-y les oignons à suer 5 min, en remuant. Ajoutez l'ail, le cumin, le curry et le curcuma. Poivrez. Remuez 2 min, puis incorporez le chou-fleur et les tomates.

3. Ajoutez le bouillon de légumes, puis portez à frémissements. Couvrez. Laissez frémir 15 min à feu doux.

4. Ajoutez les courgettes et la menthe ciselée. Poursuivez la cuisson 15 min, en remuant de temps en temps. Rectifiez l'assaisonnement et servez, décoré des sommités de menthe.

Dinde farcie aux marrons

Pour un repas de Noël dans la plus pure tradition, cuisinez cette dinde dorée garnie de marrons fondants...

Facile | Pour **8-10 personnes** | Préparation **25 min** | Cuisson **3 h 15**

Ingrédients

- 1 belle pomme granny-smith
- 1 filet de jus de citron
- 40 g de beurre + 75 g de beurre ramolli pour la dinde
- 2 gros oignons émincés
- 150 g de lardons nature
- 200 g de viande de veau hachée
- ½ c. à c. de quatre-épices
- 450 g de marrons sous vide
- 1 dinde de 4 kg prête à cuire
- Sel, poivre

1. Pelez et épépinez la pomme. Coupez-la en dés. Citronnez-les. Dans une sauteuse, faites chauffer le beurre à feu moyen. Mettez-y les oignons et les lardons à revenir 5 min en remuant.

2. Ajoutez le veau. Remuez 5 min pour bien l'émietter, puis ajoutez la pomme, le quatre-épices, du sel et du poivre. Remuez encore 5 min. Retirez du feu et incorporez les marrons. Rectifiez l'assaisonnement.

3. Préchauffez le four à 170 °C (th. 5-6). Garnissez la dinde avec la farce, puis cousez l'ouverture avec une aiguille à brider et de la ficelle de cuisine. Nappez-la de beurre ramolli, salez et poivrez. Déposez-la dans un grand plat à four contenant 5 c. à s. d'eau.

4. Enfournez pour 2 h 40 à 3 h (comptez 20 min de cuisson par livre) en retournant et en arrosant souvent la dinde du jus de cuisson. Servez-la accompagnée de la farce aux marrons et du jus de cuisson dégraissé.

« Les marrons sont constitués de grosses châtaignes non cloisonnées, précuits et utilisés comme légumes. »

Pain complet à la bière

Dégustez ce pain rustique nature tartiné de beurre, avec une carbonade flamande ou trempé dans une soupe.

Délicat | Pour **1 pain** | Préparation **30 min** | Repos **2 h 30** | Cuisson **40 min**

Ingrédients

– 7 g de levure de boulanger fraîche
– 250 g de farine de blé complète
 + un peu pour le plan de travail
– 15 cl de bière
– Sel

1. Dans un bol, délayez la levure dans 2 c. à s. d'eau tiède. Dans un saladier, mélangez la farine avec 5 g de sel. Creusez un puits au centre. Versez-y le contenu du bol ainsi que la bière. Pétrissez jusqu'à obtention d'une pâte lisse et ferme.

2. Rassemblez la pâte en boule. Couvrez-la d'un linge humide et laissez reposer 1 h 30 à température ambiante.

3. Sur le plan de travail légèrement fariné, étirez la pâte et repliez-la sur elle-même à plusieurs reprises en l'enfonçant avec votre poing. Donnez-lui la forme d'un ballon de rugby. Déposez-la dans une terrine tapissée de papier sulfurisé et couvrez d'un linge humide. Laissez reposer 1 h à température ambiante.

4. Préchauffez le four à 240 °C (th. 8). Avec la pointe d'un couteau, faites des entailles sur le dessus de la pâte. Enfournez pour 15 min avec un bol d'eau. Baissez la température du four à 210 °C (th. 7). Poursuivez la cuisson 25 min. Démoulez sur une grille et laissez refroidir.

La bière

Boisson fermentée mousseuse, de couleur blonde ou brune, mais aussi blanche ou rousse, la bière tient sa saveur à la fois ronde et amère du **malt d'orge** (parfois de blé ou de seigle) et du **houblon**. On distingue les bières suivant leur fermentation (dite haute, basse ou spontanée), aboutissant à des types très différents : les amateurs les boivent à des températures précises, adaptées à chacune. Quasiment tous les pays du monde produisent des bières, du Mexique (**Corona**) au Japon (**Sapporo**), mais les plus réputées sont produites dans le nord de l'Europe, notamment en **Belgique**, qui fournit par exemple la **gueuze**, la **chimay** ou encore la **kriek**, à l'intense parfum de griottes. On y prépare également de nombreux plats avec de la bière, notamment la fameuse **carbonade flamande** ou encore le **lapin à la bière**.

Pâté de pommes de terre persillé

Sous le feuilletage croustillant, les pommes de terre restent délicieusement fondantes à cœur.

Facile | Pour **6 personnes** | Préparation **25 min** | Cuisson **1 h**

Ingrédients

- 1,4 kg de pommes de terre bintje coupées en lamelles pas trop fines
- 200 g de lardons fumés
- 1 oignon émincé
- 2 gousses d'ail écrasées
- 1 bouquet de persil plat ciselé
- 50 cl de crème liquide
- 1 pâte feuilletée préétalée
- Sel, poivre

1. Faites cuire les pommes de terre 10 min à l'eau bouillante salée.

2. Pendant ce temps, faites chauffer une poêle antiadhésive à feu moyen. Ajoutez les lardons et faites-les rissoler 3 min. Ajoutez les oignons et laissez suer 5 min en mélangeant régulièrement. Retirez du feu, ajoutez l'ail et le persil. Mélangez.

3. Préchauffez le four à 200 °C (th. 6/7). Égouttez les rondelles de pommes de terre, rangez-les par couches dans un plat à gratin, en les alternant avec le mélange persillé. Salez et poivrez. Nappez de 35 cl de crème liquide.

4. Déposez la pâte feuilletée sur le dessus, ourlez le bord pour recouvrir hermétiquement, puis ménagez un puits au centre. Enfournez pour 40 min. Avant de servir, versez le reste de crème dans le puits.

Bayenne de pommes de terre

Une recette classique des Ardennes, qui se sert traditionnellement avec de belles tranches de jambon cru.

Facile | Pour **6 personnes** | Préparation **20 min** | Cuisson **45 min**

Ingrédients

- 1,4 kg de pommes de terre à chair ferme (charlotte, BF15)
- 2 oignons
- 2 échalotes
- 2 gousses d'ail
- 1 c. à s. d'huile de tournesol
- 20 cl de vin blanc sec
- 1 feuille de laurier
- 2 branches de thym
- Sel, poivre du moulin

1. Pelez les pommes de terre. Coupez-les en deux et rincez-les. Pelez et émincez les oignons ainsi que les échalotes. Pelez, dégermez et écrasez l'ail.

2. Huilez une cocotte en fonte, puis déposez-y une couche de pommes de terre, côté coupé en dessous. Ajoutez une couche d'oignons, d'ail et d'échalotes, recouvrez de pommes de terre et continuez ainsi jusqu'à épuisement des ingrédients. Salez et poivrez.

3. Arrosez avec le vin blanc, ajoutez le laurier et le thym, puis couvrez et faites chauffer 5 min à feu vif. Puis baissez à feu doux et prolongez la cuisson 40 min, sans découvrir ni mélanger.

4. La bayenne doit légèrement accrocher au fond de la cocotte, sans brûler.

Pommes dauphine

Mélange de purée et de pâte à chou, les pommes dauphine sont idéales pour accompagner une côte de bœuf.

Délicat | Pour **6 personnes** | Préparation **35 min** | Cuisson **35 min**

Ingrédients

– 1 kg de pommes de terre bintje
– 120 g de beurre coupé en dés
– 120 g de farine
– 3 œufs
– Huile de friture
– Sel, poivre

1. Pelez les pommes de terre. Coupez-les en quatre, puis faites-les cuire 15 min environ à l'eau bouillante salée.

2. Égouttez les pommes de terre, puis passez-les au moulin à légumes. Mettez cette purée dans une casserole antiadhésive et faites dessécher à feu moyen, en mélangeant avec une cuillère en bois. Incorporez 70 g de beurre, salez et poivrez. Réservez.

3. Versez 20 cl d'eau dans une casserole, puis ajoutez le reste de beurre, du sel et du poivre. Portez à frémissements, puis ajoutez la farine d'un coup. Mélangez sur le feu pour faire dessécher, puis retirez du feu.

4. Laissez légèrement tiédir, puis incorporez les œufs un à un : vous obtenez une pâte à choux. Mélangez la purée de pommes de terre et la pâte à choux jusqu'à obtention d'une pâte homogène.

5. Faites chauffer l'huile de friture à 160 °C. Faites-y tomber des billes de pâte formées avec deux cuillères (trempez celles-ci dans de l'eau froide pour qu'elles n'adhèrent pas à la pâte). Laissez colorer 3 à 4 min : les pommes dauphine se retournent d'elles-mêmes. Égouttez sur du papier absorbant et salez avant de servir.

« La chair farineuse de la pomme de terre bintje est idéale pour les cuissons au four, les purées, les soupes ou les frites. »

farine
POIVRE

Purée de pois cassés et d'asperges

Plaisir régressif pour cette purée onctueuse à la saveur puissante, idéale pour accompagner un rôti de veau.

Facile | Pour **4 personnes** | Préparation **20 min** | Cuisson **1 h 20**

Ingrédients

– 250 g de pois cassés
– 2 échalotes émincées
– 1 bouquet garni (thym, laurier, persil)
– 250 g d'asperges vertes surgelées
– 3 c. à s. de crème fraîche
– 1 pincée de baies roses concassées
– Sel, poivre du moulin

1. Mettez les pois cassés dans une casserole. Arrosez de 1 l d'eau froide et ajoutez les échalotes et le bouquet garni. Salez et poivrez. Portez à frémissements et laissez cuire 1 h environ à feu doux.

2. Pendant ce temps, faites cuire les asperges 8 min à l'eau bouillante salée, puis égouttez-les et écrasez-les grossièrement à la fourchette. Ajoutez-les au contenu de la casserole et prolongez la cuisson 20 min, en remuant de temps en temps pour vérifier que la purée n'accroche pas.

3. Ôtez le bouquet garni. Écrasez grossièrement avec un écrase-purée (ou un moulin à légumes). Incorporez la crème fraîche, saupoudrez de baies roses concassées et servez aussitôt.

Les pois cassés

Contrairement aux haricots, qui ont été découverts avec l'Amérique, les pois font partie du régime alimentaire des européens **depuis l'Antiquité**. Les pois secs sont issus de la même plante qui donne les petits pois, mais ces derniers sont récoltés immatures, quand ils sont encore très tendres, alors qu'on laisse parvenir à **pleine maturité** les pois destinés à être séchés. Ils sont ensuite pelés, et **se séparent naturellement en deux demi-sphères** : c'est alors qu'on les appelle pois cassés. On en trouve des variétés jaunes ou vertes, plus ou moins colorées. Certains conditionnements panachent les pois cassés de différentes couleurs. Ils peuvent être utilisés en **soupe de pois cassés**, simplement relevés avec un oignon et du bouillon de volaille. Mais vous pouvez en ajouter dans de nombreuses soupes de légumes, pour les épaissir, et on les prépare en **ragoûts** dans de nombreux pays, notamment en Grèce ou en Turquie. Ils permettent également de préparer une **purée de pois cassés**, à la texture caractéristique, très goûteuse.

Conseils pratiques

• ACHAT

Qu'ils soient jaunes ou vert tendre, la couleur des pois cassés n'est pas un signe de qualité. Choisissez-les en revanche légèrement brillants : ternes, ils sont sans doute vieux. Conservez-les jusqu'à un an, à l'abri de la lumière.

• ACCORDS

La soupe de pois cassés peut être enrichie de fines lanières de lard fumé, que vous servirez directement dans les assiettes creuses, sur la soupe fumante. La purée de pois cassés peut être relevée de sauge ou de sarriette ; elle accompagne joliment les viandes blanches grillées ou rôties.

• PRÉPARATION

Les pois cassés n'ont pas besoin d'être trempés, sauf s'ils sont conditionnés depuis plus de 6 mois : vous pouvez alors les plonger quelques heures dans une jatte remplie d'eau froide.

• CUISSON

Faites-les cuire 1 h environ dans de l'eau frémissante : ils doivent juste commencer à se défaire. Vous pouvez également commencer leur cuisson dans une noisette de beurre, en les faisant légèrement roussir, puis les arroser de bouillon chaud : ainsi cuits à la manière d'un risotto, les pois cassés forment une purée onctueuse.

Le + nutrition

Énergétiques, les pois cassés sont riches en protéines et en sucres complexes, fournissant de l'énergie à l'organisme pour de longues heures après avoir été consommés. Ils sont également exceptionnellement riches en fibres, produisant une rapide sensation de satiété : l'aliment parfait pour ne pas prendre un gramme !

Pour 100 g

> 118 kcal

> Protéines : 8,5 g

> Glucides : 20,5 g
dont 18 g de glucides complexes

> Fibres : 8 g

> Vitamine B9 : 65 µg

Charlotte aux marrons glacés

Le summum de la gourmandise pour cette charlotte bien crémeuse, intensément parfumée aux marrons glacés.

Facile | Pour **8 personnes** | Préparation **25 min** | Cuisson **5 min** | Réfrigération **4 h**

Ingrédients

- 150 g de sucre en poudre
- 1 c. à s. de rhum
- 35 à 40 biscuits à la cuillère
- 300 g de crème de marrons
- 3 feuilles de gélatine trempées et essorées
- 200 g de fromage blanc
- 35 cl de crème liquide très froide
- 150 g de brisures de marrons glacés
- 1 c. à s. de sucre glace
- 6 à 8 marrons glacés, pour décorer

1. Portez à frémissements la moitié du sucre avec 15 cl d'eau. Ajoutez le rhum et laissez refroidir. Chemisez un moule à charlotte de film alimentaire. Trempez les biscuits dans le sirop, puis disposez-les bien serrés, au fond et contre le bord du moule.

2. Faites chauffer la crème de marrons, puis mettez-y la gélatine à fondre. Incorporez le fromage blanc et le reste de sucre. Fouettez la crème en chantilly. Incorporez-la ainsi que les brisures de marrons glacés.

3. Versez la moitié de cette garniture dans le moule, ajoutez une couche de biscuits trempés, puis versez le reste de garniture. Rabattez le film alimentaire sur le moule et réservez 4 h au frais.

4. Démoulez délicatement, saupoudrez de sucre glace et décorez des marrons glacés.

Soufflés glacés à la crème de marrons

Sortez ces soufflés glacés du congélateur 15 min avant de les servir, et ôtez délicatement leur collerette.

Délicat | Pour **8 personnes** | Préparation **20 min** | Cuisson **3 min** | Congélation **4 h**

Ingrédients

- 100 g de sucre en poudre
- 1 filet de jus de citron
- 7 jaunes d'œufs
- 250 g de crème de marrons
- 25 cl de crème liquide très froide
- 8 marrons glacés

1. Mettez le sucre dans une casserole, puis ajoutez le jus de citron et 5 cl d'eau. Faites frémir 3 min à feu doux.

2. Fouettez les jaunes d'œufs dans une jatte, au fouet électrique. Sans cesser de fouetter, arrosez-les du sirop bouillant, en filet. Continuez de fouetter jusqu'à refroidissement : vous devez obtenir une préparation très mousseuse et collante.

3. Incorporez progressivement la crème de marrons. Montez la crème liquide en chantilly, puis incorporez-la à la préparation.

4. Chemisez l'extérieur de 8 ramequins d'une collerette de papier sulfurisé en la collant avec du ruban adhésif. Remplissez les ramequins de la préparation jusqu'en haut du papier sulfurisé, puis déposez un marron glacé sur le dessus. Placez au moins 4 h au congélateur.

Diplomate aux fruits confits

Servez votre diplomate froid mais pas glacé, tel quel ou nappé d'une crème anglaise bien onctueuse.

Facile | Pour **6 personnes** | Préparation **25 min** | Macération **30 min** | Cuisson **1 h** | Réfrigération **4 h**

Ingrédients
- 200 g de fruits confits coupés en dés
- 6 cl de rhum ambré
- 500 g de brioche
- 6 œufs
- 160 g de sucre en poudre + 10 g pour le moule
- 1 sachet de sucre vanillé
- 80 cl de lait entier
- 10 g de beurre pour le moule
- Quelques rafles de groseilles, pour décorer

1. Faites macérer les fruits confits dans le rhum ambré 30 min. Pendant ce temps, coupez la brioche en tranches. Écroûtez-les et faites-les légèrement griller au four ou au grille-pain.

2. Dans une jatte, fouettez les œufs avec les deux sucres. Incorporez le lait et le rhum de macération des fruits confits (réservez ces derniers).

3. Beurrez et sucrez un moule à charlotte, puis tapissez-en le fond et le bord avec des tranches de brioche. Parsemez le fond d'une couche de fruits confits, puis recouvrez de brioche et imbibez généreusement de la préparation aux œufs.

4. Renouvelez ces couches jusqu'à épuisement des ingrédients (n'utilisez pas nécessairement toute la brioche, suivant la taille du moule).

5. Préchauffez le four à 150 °C (th. 5). Déposez le moule sur une plaque creuse et ajoutez 2 cm d'eau autour. Enfournez pour 1 h, puis laissez refroidir dans le four éteint.

6. Placez au moins 4 h au réfrigérateur (idéalement toute une nuit). Démoulez délicatement et servez décoré de rafles de groseilles.

Les fruits confits

Véritables **bonbons naturels**, les fruits confits sont constitués de fruits frais que l'on a fait cuire successivement dans des **sirops de sucre** de plus en denses, pour saturer de sucre leurs cellules. Une part de glucose est ajoutée à chaque sirop, pour empêcher la cristallisation naturelle, sauf dans le tout dernier bain : les fruits confits s'enrobent ainsi d'une gangue de **sucre brillant**. On fait confire tous les **agrumes**, soit entiers soit uniquement leurs **zestes**, les **cerises** (bigarreaux), les poires, l'angélique, les figues ou même les melons, mais aussi les châtaignes (donnant les **marrons glacés**) ou encore le gingembre. La ville d'**Apt**, dans le Vaucluse, s'en est en fait une spécialité. Les fruits confits sont des ingrédients privilégiés des cakes, gâteaux et autres crèmes glacées (**plombière**).

Tarte aux deux citrons

Sublime accord du sucré de la pâte sablée et de l'acidulé de la garniture, relevé des zestes de citron vert.

Facile | Pour **6 personnes** | Préparation **25 min** | Cuisson **40 min**

Ingrédients

- 1 citron non traité
- 2 citrons verts non traités
- 4 œufs
- 250 g de sucre en poudre
- 40 g de Maïzena® délayée dans un peu d'eau
- 60 g de beurre fondu + 10 g pour le moule
- 1 pâte sablée préétalée

1. Râpez le zeste du citron, puis pressez-le pour en recueillir le jus. Prélevez le zeste des citrons verts avec un canneleur, puis pressez-les.

2. Dans une jatte, fouettez les œufs avec 150 g de sucre en poudre jusqu'à blanchiment. Incorporez le zeste de citron et les jus, puis la Maïzena® et le beurre fondu.

3. Préchauffez le four à 160 °C (th. 6). Garnissez un moule à tarte beurré avec la pâte sablée, puis versez-y la préparation. Enfournez pour 40 min.

4. Pendant ce temps, faites blanchir les zestes de citron vert 2 min à l'eau bouillante, puis égouttez-les et mettez-les dans une casserole avec 15 cl d'eau et le reste de sucre. Portez à frémissements, laissez cuire 10 min à feu doux, puis laissez refroidir dans ce sirop. Décorez-en la tarte au moment de servir.

Ananas grillé, sauce citron vert

Servez ces tranches d'ananas avec de belles boules de crème glacée à la vanille, pour un agréable contraste.

Facile | Pour **4 personnes** | Préparation **10 min** | Cuisson **8 min**

Ingrédients

- 1 boîte d'ananas en tranches au sirop
- 1 c. à c. d'huile de tournesol
- 2 c. à s. de cassonade
- 1 citron vert
- Mélange quatre-baies au moulin

1. Égouttez les tranches d'ananas (réservez le sirop). Déposez-les sur une plaque de four légèrement huilée, parsemez-les de cassonade et enfournez-les 6 à 8 min sous le gril du four pour les faire légèrement caraméliser. Retournez-les à mi-cuisson.

2. Pendant ce temps, râpez finement le zeste du citron, puis pressez-le pour en recueillir le jus. Mélangez-les dans une petite casserole avec le sirop recueilli, puis portez à frémissements. Laissez réduire de moitié.

3. Déposez les tranches d'ananas grillées dans les assiettes, nappez de sirop et donnez un tour de moulin. Laissez légèrement tiédir avant de servir.

Riz au lait de coco, fraîcheur citron vert

Ce riz au lait de coco, délicieusement fondant, est relevé de jus de citron vert, pour une touche acidulée !

Facile | Pour **8 personnes** | Préparation **25 min** | Cuisson **45 min** | Réfrigération **2 h**

Ingrédients
- 120 g de riz rond
- 1 l de lait entier
- 80 g de noix de coco râpée
- 15 cl de lait de coco
- 120 g de sucre en poudre
- 2 citrons verts
- 1 pincée de sel

1. Faites blanchir le riz 2 min à l'eau bouillante salée, puis égouttez-le et rafraîchissez-le sous l'eau courante.

2. Versez le lait dans une casserole. Ajoutez la moitié de la noix de coco râpée et la pincée de sel. Portez à frémissements, ajoutez le riz et mélangez.

3. Baissez le feu au minimum et laissez mijoter 40 min environ, en mélangeant régulièrement : le riz doit avoir absorbé tout le lait.

4. Incorporez le lait de coco et le sucre en poudre. Pressez 1 citron vert pour en recueillir le jus, ajoutez-le et mélangez délicatement. Répartissez dans des bols (ou des ramequins) et parsemez du reste de noix de coco râpée.

5. Laissez refroidir, puis réservez au moins 2 h au réfrigérateur. Au moment de servir, coupez le citron vert restant en quartiers et déposez-les sur les riz au lait.

« Le citron vert est un ingrédient incontournable des cuisines antillaises. Mariez-le volontiers aux saveurs exotiques. »

Le citron vert

Tout ce que fait le citron, le citron vert peut le faire à l'identique, en ajoutant sa touche personnelle : une **saveur plus acidulée** (mais paradoxalement moins acide) et un parfum plus entêtant, rappelant des notes de bonbon. Il est aussi **plus parfumé** : utilisez en moyenne deux fois moins de jus de citron vert que de jus de citron pour un résultat équivalent en terme d'intensité de goût. Il est parfois appelé **lime**, mais ce terme peut entraîner des confusions avec certaines variétés de citrons doux, également appelés lime ou limette. On consomme rarement le fruit lui-même, mais plutôt son jus, aussi bien dans des recettes sucrées que salées. Dans les **tartares** ou **carpaccios**, il est incomparable pour « cuire » les ingrédients de son acidité. C'est un ingrédient incontournable des **cuisines antillaise et brésilienne**, notamment dans les cocktails (caïpirinha) ou les marinades de poisson (ceviche). Son **zeste** est également prisé, utilisé en pâtisserie ou, par exemple, pour relever une sauce hollandaise ou un beurre blanc.

Conseils pratiques

• ACHAT

Choisissez les citrons verts de préférence bien brillants et rebondis, mais avec une peau fine : ils seront bien plus juteux et se presseront avec plus de facilité. Ils doivent être dépourvus de tâches et de meurtrissures, avec les pointes bien fermes.

• CONSERVATION

Les citrons verts, s'ils sont choisis sains, se conservent sans problème 2 à 3 semaines à température ambiante, dans une jatte ou un panier. Vérifiez-les cependant de temps en temps s'ils ne s'abîment pas car ils risqueraient de gâter les autres citrons verts avec lesquels ils sont en contact.

• PRÉPARATION

La plupart du temps, le citron vert ne contient pas de pépins. Pour le presser, inutile de sortir un presse-agrumes : coupez-le simplement en deux et écrasez-le avec trois doigts, au-dessus d'un bol. Le zeste se récupère avant de le presser, à l'aide d'une petite râpe ou d'un canneleur.

• ACCORDS

Le citron vert est idéal pour faire mariner les viandes blanches, par exemple, avec de l'ail, du gingembre et de la coriandre fraîche. Côté sucré, il s'accorde à tous les fruits, mais aussi au chocolat. Ajoutez son zeste râpé dans les pâtes à tarte, pour les rehausser délicatement.

Le + nutrition

Très peu calorique, le citron vert ne contient que très peu de glucides, quasiment pas de protéines et aucun lipide. De par son acidité, il a des vertus apéritives et digestives. À l'image de son cousin jaune, il est riche en vitamine C, en vitamine B9 et en potassium.

Pour 100 g
> 24 kcal
> Glucides : 1,8 g
> Potassium : 117 mg
> Vitamine C : 32 mg
> Vitamine B9 : 18 µg

Le kiwi

Le kiwi n'est plus un fruit exotique : il est en effet largement cultivé en France métropolitaine, depuis quelques années, spécialement dans la région aquitaine et dans l'Ariège. **Fruit d'une liane grimpante**, il est originaire de Nouvelle-Zélande. Sa **peau verte**, velue, le rend très facilement reconnaissable, même s'il existe également une variété de petite taille, à la peau lisse, et qui n'a pas besoin d'être pelée. On peut consommer également ses **graines noires, légèrement croquantes**, et son cœur blanc, quand le kiwi est bien mûr. En dessert, servez-le coupé en tranches ou en dés, **allié au chocolat**, à l'orange, à la mangue ou au miel. Sa saveur acidulée en fait également le fruit idéal des salades de fruits. Une fois sa chair mixée, faites-en des smoothies, des mousses ou même des sorbets… Mais il accompagne aussi les **viandes blanches**, notamment le porc et le veau, juste pelé, coupé en quartiers servis crus ou rapidement poêlés au beurre. Le kiwi contient certaines enzymes qui peuvent être responsables d'**allergies**, parfois sévères.

Conseils pratiques

• ACHAT

Les kiwis peuvent être achetés durs : ils continuent à mûrir une fois cueillis. Pour les consommer le jour même, choisissez-les souples mais pas mous, sans tâches ni meurtrissures.

• CONSERVATION

Des kiwis mûrs se conservent quelques jours dans le bas du réfrigérateur. Achetés durs, conservez-les à température ambiante. S'ils se touchent ou si vous les emballez dans du papier journal, ils mûriront en une semaine environ. Pour accélérer leur maturation, vous pouvez les mettre à côté de pommes : en effet, leur éthylène les fera mûrir en deux jours.

• GÉLIFICATION

Avec des kiwis, on peut préparer des petites mousses ou de savoureuses panacottas, mais surtout pas avec de la gélatine : il contient des enzymes qui l'empêchent de prendre ! Utilisez simplement un peu d'agar-agar (en magasins bio), pour un résultat impeccable.

• CUISSON

Le kiwi peut être cuit notamment en confitures, souvent associé à d'autres fruits permettant de corriger son acidité, notamment la poire ou la banane. On en garnit également des tartes, sur un fond de crème pâtissière ou de crème amandine, ou des clafoutis (voir p. 86).

Le + nutrition

Le kiwi est l'un des fruits les plus riches en vitamines, notamment la vitamine C : un seul kiwi en contient deux fois plus qu'une orange ! Le même kiwi contient également autant de potassium qu'une banane. Il est aussi riche en vitamine E, ce qui est rare pour les produits pauvres en lipides. Enfin, il est source de vitamine K, de cuivre, de zinc et de manganèse.

Pour 100 g
- > 53 kcal
- > Glucides : 12 g
- > Potassium : 287 mg
- > Vitamine C : 83 mg
- > Vitamine E : 1,2 mg

Petits clafoutis aux kiwis

Jolie alliance du clafoutis gourmand et des kiwis acidulés, pour un dessert à servir tiède ou froid.

Facile | Pour **4 personnes** | Préparation **15 min** | Cuisson **25 min**

Ingrédients

- 3 œufs
- 120 g de sucre en poudre
- 1 sachet de sucre vanillé
- 120 g de farine
- 25 cl de lait
- 50 g de beurre fondu + 20 g pour les moules
- 4 petits kiwis
- 4 pincées de cannelle en poudre

1. Préchauffez le four à 190 °C (th. 6/7). Dans une jatte, fouettez les œufs avec 100 g de sucre en poudre et le sucre vanillé jusqu'à blanchiment. Incorporez la farine, puis délayez avec le lait. Ajoutez le beurre fondu.

2. Beurrez 4 petits moules à gratins individuels, puis répartissez-y la préparation précédente. Pelez les kiwis, coupez-les en tranches assez épaisses et répartissez-les sur les clafoutis.

3. Saupoudrez du reste de sucre en poudre et de cannelle. Enfournez pour 20 à 25 min : les clafoutis doivent commencer à dorer, sans brunir.

Verrines triple fruit et tuiles torsadées

Si vous manquez de temps, servez ces verrines simplissimes avec des tuiles du commerce !

Délicat | Pour **6 personnes** | Préparation **25 min** | Cuisson **7 min** | Réfrigération **2 h**

Ingrédients

- 1 mangue
- 2 c. à s. de jus de citron
- 1 c. à s. de sucre glace
- 3 kiwis
- 2 petites bananes
- 110 g de beurre fondu
- 110 g de sucre en poudre
- 110 g de farine
- 2 c. à s. de jus d'orange

1. Coupez la mangue en deux. Dénoyautez-la, récupérez la chair et mixez-la avec 1 c. à s. de jus de citron et le sucre glace. Répartissez dans 6 grands verres.

2. Pelez les kiwis. Mixez leur chair et répartissez-la sur la purée de mangue. Pelez les bananes. Mixez leur chair avec le reste de jus de citron (qui l'empêchera de noircir). Répartissez sur le dessus des verres. Placez 2 h au réfrigérateur.

3. Préchauffez le four à 180 °C (th. 6). Dans une jatte, mélangez le beurre fondu avec le sucre, la farine et le jus d'orange. Déposez des languettes de la pâte obtenue sur une plaque tapissée de papier sulfurisé, bien espacées. Enfournez pour 7 min : elles doivent juste dorer.

4. Sortez du four. Laissez tiédir les tuiles, puis décollez-les délicatement et torsadez-les. Déposez-les sur les verrines.

Rondelles d'oranges au caramel d'épices

Glacées par le caramel d'épices comme de petits roudoudous, les rondelles d'orange ont gardé leur fraîcheur.

Délicat | Pour **4 personnes** | Préparation **25 min** | Cuisson **30 min**

Ingrédients
- 2 oranges non traitées
- 125 g de sucre en poudre
- 2 anis étoilés
- 2 bâtons de cannelle

1. Prélevez le zeste des oranges avec un canneleur, puis pelez-les à vif en passant la lame d'un couteau entre la pulpe et les membranes. Coupez-les en rondelles de 1 cm d'épaisseur environ, bien régulières. Procédez au-dessus d'un saladier pour récupérer le jus.

2. Versez le jus d'orange récupéré dans une casserole à fond épais. Ajoutez le sucre en poudre et 2 c. à s. d'eau. Portez à frémissements, laissez cuire 5 min environ à feu moyen pour obtenir un caramel légèrement doré.

3. Retirez du feu, puis ajoutez 5 cl d'eau bouillante pour « décuire » ce caramel (attention, ça bouillonne !) et ajoutez les zestes d'orange et les épices. Laissez infuser 10 min.

4. Replacez à feu très doux et laissez mijoter 5 min. Puis retirez du feu. Préchauffez le four à 100 °C (th. 3/4).

5. Déposez les rondelles d'oranges sur une plaque tapissée de papier sulfurisé et nappez-les du caramel d'épices. Enfournez pour 15 min, puis laissez refroidir dans le four éteint. Servez tiède ou froid, mais pas glacé.

L'anis étoilé

Aussi appelé **badiane**, l'anis étoilé est le fruit d'un arbre originaire de Chine, que l'on trouve sous forme séchée. Il ne se consomme pas (car sa chair est ligneuse comme du bois), mais on le fait infuser dans des préparations, souvent liquides, pour son **intense saveur d'anis**. C'est ainsi lui qui donne sa saveur au **pastis**, alors que les confiseries anisées européennes (anis de Flavigny…) utilisent plutôt l'anis vert, disponible en graines ou moulu. L'anis étoilé est appelé ainsi du fait de sa forme en étoiles, toujours à **8 branches**, même si certaines peuvent être atrophiées. Chaque branche abrite une **petite graine brillante** : ce sont elles qui sont le plus parfumées. Pour sublimer une compote ou une **confiture**, ajoutez-le simplement pendant la cuisson. Attention, 1 ou 2 étoiles suffisent !

Gâteau fondant aux copeaux de chocolat

Un gâteau préparé sans farine, celle-ci laissant sa place à de la poudre d'amandes : le secret de son fondant !

Facile | Pour **8 personnes** | Préparation **20 min** | Cuisson **40 min**

Ingrédients

- 180 g de chocolat noir
- 180 g de beurre ramolli + 20 g pour le moule
- 180 g de sucre en poudre
- 4 œufs
- 180 g de poudre d'amandes
- 20 g de farine pour le moule
- Sucre glace et copeaux de chocolat noir et blanc, pour décorer

1. Préchauffez le four à 170 °C (th. 5/6). Faites fondre le chocolat au bain-marie ou au four à micro-ondes.

2. Pendant ce temps, dans une jatte, fouettez le beurre avec le sucre en poudre jusqu'à obtention d'une pommade. Incorporez les œufs un à un en alternant avec la poudre d'amandes. Incorporez enfin le chocolat fondu.

3. Beurrez et farinez un moule à gâteau. Versez-y la pâte et enfournez pour 40 min environ : une lame de couteau glissée au cœur du gâteau doit en ressortir sèche. Laissez refroidir hors du four.

4. Au moment de servir, démoulez, saupoudrez de sucre glace et décorez de copeaux de chocolat blanc et noir.

Mousses chocolat-caramel

Délicatement parfumées au caramel au beurre salé, ces mousses sont une vraie invitation à la gourmandise !

Délicat | Pour **8 personnes** | Préparation **25 min** | Cuisson **10 min** | Réfrigération **2 h**

Ingrédients

- 90 g de sucre en poudre
- 1 filet de jus de citron
- 40 g de beurre demi-sel
- 200 g de chocolat noir
- 15 cl de lait
- 3 œufs
- Crème Chantilly, cacao amer en poudre et dragées argentées, pour décorer

1. Mettez 60 g de sucre en poudre dans une casserole. Ajoutez le jus de citron et 2 c. à s. d'eau. Faites chauffer à feu moyen pour obtenir un caramel bien doré. Retirez du feu, laissez légèrement tiédir puis incorporez le beurre.

2. Concassez le chocolat noir et faites-le fondre au bain-marie avec le lait. Mélangez pour bien lisser, puis retirez du feu et laissez tiédir.

3. Cassez les œufs en séparant les jaunes des blancs. Incorporez les jaunes au chocolat fondu, puis le caramel au beurre salé.

4. Montez les blancs en neige, puis incorporez-les délicatement. Répartissez dans 8 ramequins et réservez au moins 2 h au réfrigérateur.

5. Au moment de servir, déposez un dôme de crème Chantilly sur chaque mousse, saupoudrez de cacao amer et décorez de dragées.

Parfait de Noël glacé au chocolat corsé

Un prestigieux dessert glacé préparé sans sorbetière, à la texture fondante et veloutée.

Facile | Pour **8 personnes** | Préparation **20 min** | Cuisson **2 min** | Congélation **4 h**

Ingrédients

- 250 g de chocolat noir à 70 % de cacao
- 2 c. à s. de cacao amer en poudre
- 50 cl de crème liquide très froide
- 10 cl de lait
- 3 jaunes d'œufs
- 2 c. à s. de sucre glace
- Copeaux de chocolat, physalis et feuilles d'or (facultatif), pour décorer

1. Concassez le chocolat noir et mettez-le dans une jatte. Tamisez le cacao sur le chocolat, puis mélangez. Versez 25 cl de crème liquide dans une casserole, ajoutez le lait et portez à frémissements. Versez en filet dans la jatte, tout en mélangeant.

2. Laissez tiédir, puis incorporez les jaunes d'œufs un à un. Montez le reste de crème en chantilly avec le sucre glace, puis incorporez-la à la préparation.

3. Tapissez un moule à cake de film alimentaire. Versez-y la préparation et lissez la surface à la spatule. Placez au moins 4 h au congélateur.

4. Sortez du congélateur et démoulez 15 min avant de servir. Ôtez délicatement le film alimentaire et décorez de copeaux de chocolat, de physalis et éventuellement de feuilles d'or.

Le chocolat

Produit à partir des graines des fruits du **cacaoyer**, le chocolat est originaire du Mexique : les **Aztèques** le consommaient essentiellement dans des boissons… salées et épicées ! Pour obtenir la consistance fine et onctueuse que nous lui connaissons, le chocolat passe par plus de 15 étapes successives : torréfiée, broyé, conché… Aucun autre aliment n'est autant travaillé ! On peut différencier les deux éléments essentiels du chocolat : le **cacao amer** (extrait sec, responsable de son goût) et le **beurre de cacao**, qui constitue sa matière grasse. Par définition, le chocolat noir ne contient que ces deux éléments, ainsi que du sucre. Depuis 2003, cependant, en Europe, le chocolat peut contenir un certain pourcentage d'autres matières grasses végétales : souvent de l'huile de palme. Guettez la mention « **pur beurre de cacao** » pour vous assurer de la qualité de votre chocolat ! Évidemment, le chocolat est une **bombe calorique**, mais, quand il est excellent, quelques carrés suffisent à satisfaire les gourmands…

Conseils pratiques

• VARIÉTÉS

Chocolat noir : choisissez-le « pur beurre de cacao », contenant entre 55 et 70 % de cacao.

Chocolat au lait : le chocolat est additionné de lait en poudre, lui donnant une saveur plus douce, prisée des enfants.

Chocolat blanc : ne le méprisez pas, car contrairement à ce qu'on pense il s'agit bien de chocolat, dont l'apport en cacao est constitué uniquement de beurre de cacao. Attention néanmoins, car c'est aussi le plus calorique de tous.

Cacao amer : il s'agit de chocolat totalement dégraissé, pulvérisé pour former une poudre fine. Il est parfait pour les finitions, sur un tiramisu par exemple.

• CONSERVATION

Conservez toujours le chocolat dans une boîte hermétique, car il capte les odeurs. Mais ne vous inquiétez pas si un voile blanc se dépose sur le dessus : c'est simplement le beurre de cacao qui refait surface !

• CUISSON

Le chocolat n'aime pas être brusqué. Ainsi, faites-le toujours fondre au bain-marie ou au four à micro-ondes, 2 à 3 min à 30 % de sa puissance. Encore mieux : pour les ganaches, versez simplement la crème frémissante sur le chocolat concassé et attendez 3 min avant de mélanger. Simplement parfait !

Le + nutrition

Le chocolat est très calorique. C'est un aliment à consommer en petites quantités. Il aurait des vertus aphrodisiaques, mais surtout stimulantes et même antidépressives, et il contient des antioxydants puissants (flavonols). Il est également riche en magnésium, en calcium, en phosphore et en vitamines du groupe B.

Pour 100 g de chocolat noir
> 540 kcal
> Protéines : 5 g
> Glucides : 58 g
> Lipides : 30 g
> Magnésium : 115 mg

Carrés à la mousse de citron et physalis

Découpez en carrés au dernier moment, disposez les physalis et la mangue et saupoudrez de sucre glace.

Délicat | Pour **8 personnes** | Préparation **30 min** | Cuisson **30 min** | Réfrigération **3 h**

Ingrédients

- 1 pâte sablée préétalée
- 10 g de beurre pour le moule
- 3 œufs
- 120 g de sucre en poudre
- 25 cl de lait
- 5 feuilles de gélatine trempées dans l'eau froide
- Le jus de 2 beaux citrons
- 25 cl de crème liquide très froide
- 16 physalis et 1 mangue coupée en lamelles, sucre glace, pour servir

1. Garnissez un moule à tarte beurré avec la pâte sablée. Recouvrez-le de papier sulfurisé puis de légumes secs. Enfournez pour 20 min. Sortez le fond de tarte du four, ôtez le papier et le lest. Laissez refroidir.

2. Cassez les œufs en séparant les jaunes des blancs. Dans une jatte, fouettez les jaunes avec le sucre jusqu'à blanchiment.

3. Faites chauffer le lait, versez-le en filet sur cette préparation, puis reversez dans la casserole et faites épaissir 3 min sans laisser bouillir. Hors du feu, incorporez la gélatine essorée, puis le jus de citron. Laissez refroidir.

4. Montez la crème liquide en chantilly, puis incorporez-la délicatement. Montez les blancs en neige et incorporez-les. Versez sur le fond de tarte et réservez 3 h au réfrigérateur. Coupez en carrés.

A à Z du mois de Décembre

Les folios marqués d'une * renvoient aux encadrés produits ou aux pages Marché de Décembre.